HERNANDES DIAS LOPES
As teses de Satanás

Descubra como a história de Jó pode ajudar a enfrentar os desafios de hoje

1ª edição: novembro de 2014
6ª reimpressão: novembro de 2021

Revisão
Josemar de S. Pinto
Doris Körber

Capa
Maquinaria Studio

Diagramação
Catia Soderi

Editor
Aldo Menezes

Coordenador de produção
Mauro Terrengui

Impressão e acabamento
Imprensa da Fé

Editora Hagnos Ltda.
Av. Jacinto Júlio, 27
04815-160 — São Paulo, SP
Tel.: (11) 5668-5668

E-mail: hagnos@hagnos.com.br
Home page: www.hagnos.com.br

Editora associada à:

Dados Internacionais de Catalogação na Publicação (CIP)
Angélica Ilacqua CRB-8/7057

Lopes, Hernandes Dias

As teses de Satanás: Descubra como a história de Jó pode ajudar a enfrentar os desafios de hoje / Hernandes Dias Lopes. — São Paulo: Hagnos, 2014.

ISBN 978-85-63563-12-5

1. Bíblia: AT - Jó: crítica: interpretação: etc 2. Deus 3. Demônio I. Título.

14-0694 CDD 223.1

Índices para catálogo sistemático:
1. Bíblia: AT: Jó 223.1

Dedicatória

Dedico este livro ao reverendo
Fábio Henrique de Jesus Caetano, amigo
precioso, pregador ungido, conselheiro
sábio, servo fiel de Cristo, bênção de Deus
em minha vida, família e ministério.

Sumário

Prefácio

Este pequeno livro *As teses de Satanás* tem o propósito de encorajar você. A vida de Jó é o pano de fundo desta reflexão. Embora esse patriarca tenha vivido há milhares de anos, num contexto histórico, geográfico, cultural e religioso muito distinto dos tempos contemporâneos, as lições que aprendemos com ele são atuais e oportunas.

Vamos tratar neste livro sobre as teses de Satanás. Este arqui-inimigo de Deus é o nosso adversário. Satanás não é um mito, mas um inimigo real. Não é uma energia negativa, mas um anjo caído. Não é inofensivo, mas destruidor. Não obstante, Satanás é um ser limitado. Só pode ir até onde Deus lhe permite ir. Mesmo sendo corrompido em seu ser e maligno em suas obras, jamais suas ações podem pôr em risco a obra de Deus. Apesar de travarmos uma luta sem trégua contra as hostes malignas, nossa vitória está garantida por Deus, e nada nem ninguém poderá nos afastar do seu amor que está em Cristo Jesus.

Este livro está dividido em três partes bem distintas. Na primeira delas, tratamos da vida de Jó, antes de sua provação. Ele era um homem muito abençoado por Deus. Seu caráter era impoluto, sua vida era ilibada e seu testemunho era irrepreensível. O próprio Deus o enaltece, destacando suas virtudes. Piedade e reputação diante de Deus eram os apanágios da sua vida. Na segunda parte, abordamos as provações de Jó. Nesse contexto é que Satanás sustenta três teses. Nelas, Satanás ataca de forma frontal tanto Deus como Jó, insinuando que Jó serve a Deus por interesse e que Deus suborna Jó com bênçãos para receber deste adoração. Três são as teses levantadas por Satanás: ninguém ama mais a Deus do que ao dinheiro; ninguém ama mais a Deus do que à família; ninguém ama mais a Deus do que a si mesmo. Mesmo sem que Jó saiba do auspicioso fato, Deus o constitui seu advogado, e Jó refuta todas as teses de Satanás. Finalmente, enfatizamos a restauração de Jó. Deus reverte a situação, vira a mesa, muda o cenário e arranca Jó das profundas garras da angústia e eleva-o aos píncaros da bem-aventurança. Deus restitui tudo que Satanás tirou; e o faz em dobro.

A leitura deste livro pode aquecer seu coração, reanimar sua alma e redirecionar seus passos. Escrever este opúsculo foi uma bendita experiência para mim, pois fui impactado com as verdades aqui ventiladas. Da mesma maneira que eu fui encorajado com a vida de Jó, espero que você também seja fortalecido pelo Deus Todo-poderoso. Talvez você ainda esteja num vale escuro, com o corpo surrado pela doença e com as lágrimas rolando pelo seu rosto. Talvez você esteja com o casamento abalado, com os filhos sendo atacados pelo Adversário e com os amigos se insurgindo contra você. Não perca a esperança. O sol voltará a brilhar. As nuvens escuras passarão, e um tempo novo, de refrigério da parte do Senhor, virá sobre a sua vida.

Saiba disso: ainda que Satanás acuse você ou insinue coisas horríveis a seu respeito, Deus guardará você e o conduzirá em triunfo!

Hernandes Dias Lopes

CAPÍTULO 1

Um homem ABENÇOADO POR DEUS

A vida de Jó é um grande mistério, uma das sagas mais empolgantes da História. Tem sido contada e recontada milhares de vezes ao longo dos séculos. Tem servido de inspiração para milhões de indivíduos que atravessam o vale escuro das provas. A história de Jó tem sido bálsamo para os que choram, conforto para os aflitos e esperança para os desesperançados. Esse homem foi elevado às alturas excelsas e despencou de lá. Sofreu os golpes mais duros. Perdeu seus bens, seus filhos, sua saúde, o apoio de sua mulher e de seus amigos. Caiu não apenas ao chão, mas desceu aos vales mais tenebrosos. Foi nocauteado e jogado na lona sem nenhuma força para se levantar. Quando seu destino parecia irremediável, entretanto, Deus o levantou das cinzas, ergueu-o do pó e restaurou sua sorte, cumulando-o com o dobro de tudo quanto possuíra. A restauração de Jó traz aos corações quebrados pela dor uma réstia de esperança, um facho de luz, um sinal do favor de Deus.

A história desse patriarca tem sido matéria de estudo de muitos eruditos e tema de muitas teses de mestrado e doutorado nos seminários e universidades teológicos pelo mundo afora. Jamais deixaremos de recorrer a esse dramático testemunho. Até que a História feche suas cortinas, buscaremos nessa fonte alento e beberemos nela os goles benditos da esperança. Por pior que seja a situação, por mais sombria que seja a realidade, Deus é poderoso para reverter o quadro e trazer-nos à tona para respirar. Com Deus não tem causa perdida. Para ele não há impossíveis. Com Deus, nossas noites escuras e frias podem converter-se em manhãs cheias de luz e calor.

Deus ainda está escrevendo a nossa biografia. O último capítulo ainda não foi escrito. Aquilo que parecia ser nossa morte, pode converter-se em trampolim para a nossa mais expressiva vitória. Aquilo que foi motivo das nossas maiores lágrimas pode transformar-se na razão da nossa maior alegria. Aquilo que nos fez chorar e sangrar pode converter-se numa fonte de consolo para milhares de pessoas. O Deus soberano jamais permitirá que soframos sem um santo propósito. Deus não desperdiça sofrimento na vida de seus filhos. Para cada lágrima que rola em nossa face, Deus tem um consolo. Para cada prova, uma providência libertadora. Se as provações têm diferentes tonalidades para nos afligir, também a graça de Deus tem diferentes tons para nos consolar.

Vamos, agora, conhecer um pouco da vida de Jó. Quem foi esse homem? O que podemos aprender com ele? Qual é o seu legado para a nossa geração?

O livro de Jó é um dos livros poéticos da Bíblia. Sua classificação o vincula aos textos sapienciais. Aqui existe um reservatório inesgotável de conhecimento e sabedoria. Mergulhar nesse livro é navegar pelos profundos oceanos do mistério divino. É beber a largos sorvos da sabedoria que vem do alto.

Jó, um homem íntegro no meio de uma geração perversa

A Escritura descreve Jó assim: *Havia um homem na terra de Uz, e seu nome era Jó. Ele era um homem íntegro e correto, que temia a Deus e se desviava do mal* (Jó 1.1). Jó aparece diante de nós apenas como um homem. Não como um super-homem, nem como um herói, gigante, ou anjo, mas como um homem. Jó era um homem verdadeiro, e não um mito, como querem os críticos céticos. Ele era um homem excepcional, mas não único. Jó tinha uma alma sensível, mas uma estrutura moral e espiritual granítica. Não era um caniço agitado pelo vento. Não tinha uma ética camaleônica e situacional. Seus valores estavam solidamente plantados na rocha dos séculos. Mesmo sovado pelos ventos desaçaimados, mesmo golpeado pelo sofrimento atroz, mesmo abandonado pelas pessoas mais achegadas, agarrou-se a Deus e disse: *Eu sei que o meu redentor vive e que por fim se levantará sobre a terra. Depois, destruído o meu corpo, então fora da carne verei Deus. Eu o verei ao meu lado, e os meus olhos o contemplarão, não mais como adversário. O meu coração desfalece dentro de mim* (Jó 19.25-27).

O mundo precisa de homens verdadeiros. Homens com uma fé inabalável em Deus e com valores morais inegociáveis. A família precisa de homens verdadeiros. Vemos hoje uma escassez de homens dignos de serem imitados. Temos hoje homens ricos, homens fortes, homens influentes, homens cultos, homens espertos, homens corruptos, homens violentos, homens monstros, mas faltam homens que sejam padrão dos fiéis na palavra, no procedimento, no amor, na fé e na pureza. Certa feita, na Grécia antiga, Diógenes saiu às ruas de Atenas, em pleno meio-dia, sol a pino, com uma lanterna acesa. Alguém, intrigado com a cena inusitada, perguntou-lhe: "Diógenes, o que procuras?" Ele respondeu: "Eu procuro um homem".

O texto nos diz que Jó era da terra de Uz. Isso significa que ele era um gentio, criado numa terra de muitos deuses, sem qualquer parâmetro religioso, cultural e moral que o remetesse à piedade e à retidão. Seu país era eivado de idolatria. Na sua terra as pessoas adoravam muitas divindades pagãs. Mas Jó, na contramão de sua cultura, anda com Deus no meio de uma geração pervertida e má. Ele conhece o Deus vivo numa terra eivada de ídolos mortos. Ele é íntegro no meio de uma sociedade rendida ao pecado. Ele é reto no meio de um povo que capitula diante da corrupção. Jó nos prova que o homem não é produto do meio, como ensinava John Locke. Não é o meio que faz o homem, mas o homem que influencia o meio. Não é o poder que corrompe; o poder apenas revela os corrompidos. Jó nos mostra que a graça de Deus não está confinada apenas a uma raça ou a um povo.

Jesus deu sua vida para comprar com o seu sangue aqueles que procedem de toda tribo, raça, povo, língua e nação. A graça de Deus floresce nos lugares mais desfavoráveis. Jó, assim como Abraão e Moisés, foi encontrado fiel no meio de uma geração infiel. Precisamos brilhar como luzeiros no mundo. Precisamos ser como um Obadias na corte de Acabe e como os santos na casa de César.

Jó, um homem que associava piedade com boa reputação

A primeira informação que temos acerca do caráter de Jó é que ele era um homem íntegro. Isso fala de seu caráter moral. Era um homem verdadeiro intimamente. Não havia duplicidade nem hipocrisia em Jó. Lamentavelmente há muitas pessoas que ostentam uma santidade que não possuem. Há muitos líderes que pregam sobre integridade, mas vivem de forma vergonhosa. São anjos em público e demônios na vida privada. Pregam uma coisa e vivem outra. São verdadeiros atores. Desempenham um papel muito diferente de sua vida.

James Hunter, em seu livro *O monge e o executivo,* diz que o homem não é aquilo que ele fala, mas aquilo que ele faz. Nossas obras precisam ser o avalista de nossas palavras. Precisamos entender que Deus está mais interessado em nosso caráter do que em nosso trabalho. Vida com Deus precede trabalho para Deus. Jó era inteiro. Foi íntegro na riqueza e permaneceu íntegro na pobreza. Foi íntegro quando estava honrado e permaneceu íntegro quando estava no pó e na cinza. O caráter vem antes da grandeza. Foi íntegro nos dias de celebração e no vale mais escuro da dor e provação. Passou pelo teste da prosperidade e pelo teste da adversidade.

No entanto, Jó era também verdadeiro externamente. Diz a Escritura que ele era um homem reto. A retidão é consequência da integridade. Integridade é aquilo que você é quando está sozinho. Retidão é aquilo que você é quando está em público. Você é exatamente aquilo que é em secreto. Por isso, moralidade pública sem piedade secreta é como um corpo sem alma. A retidão tem a ver com atos externos, enquanto a integridade, com valores internos. A verdade no íntimo conduz a uma prática pública de justiça. Porque Jó era um homem íntegro que andava com Deus, demonstrava sua retidão com suas obras. Ele mesmo dá o seu testemunho: *Eu era os olhos do cego e os pés do aleijado. Era pai dos necessitados e examinava com dedicação a causa dos desconhecidos* (Jó 29.15,16).

Finalmente, Jó demonstrava um sólido caráter religioso. Primeiro, ele tinha uma devoção positiva: "Ele era temente a Deus". Aqui está o segredo da integridade de Jó. Ninguém pode ter uma vida interior santa sem o temor de Deus. Os santos temem a Deus porque ele perdoa; os pecadores, porque ele pune. O temor do Senhor é o princípio da sabedoria. É grande freio contra o mal. É o fiel da balança. Aqueles que temem a Deus não temem os homens. Aqueles que temem a Deus fogem do pecado. Aqueles que temem a Deus deleitam-se nele com santa reverência. Aqueles que temem a Deus procuram agradá-lo não por causa do medo da punição, mas pelo prazer da comunhão.

Segundo, Jó tinha uma devoção firme. Jó decisivamente se opôs ao pecado. "Ele se desviava do mal". Jó não apenas tinha o temor de Deus, mas também odiava o pecado, fugia do pecado, não transigia com o pecado. Não é suficiente apenas não pecar; devemos odiar o pecado em todas as suas formas. Devemos fugir até da aparência do mal.

Jó, um homem familiarmente realizado

Jó tinha vida com Deus e constituiu uma família para Deus. Diz a Escritura: *Jó teve sete filhos e três filhas* (Jó 1.2). Os filhos são herança de Deus. Eles são dádivas do altíssimo. São como flechas na mão do guerreiro. Jó encheu sua aljava dessas flechas. Cada filho que nascia era a renovação da esperança em sua casa. Os filhos são herança de Deus, presentes do céu, a verdadeira riqueza dos pais, a coroação do amor conjugal.

Jó teve o privilégio de ser um homem fecundo. Gerou sete filhos e três filhas. Deus o enriqueceu com uma família numerosa, saudável e próspera. Sua família era unida e abençoada. Os filhos de Jó eram sua maior fortuna, sua mais preciosa riqueza, o fulcro de seus mais acendrados afetos. Jó dedicou o melhor do seu tempo investindo em seus filhos. Mesmo sendo um homem muito rico, não permitiu que a sedução da riqueza tirasse dele suas prioridades. Mesmo sendo um homem de sucesso, jamais permitiu que o sucesso roubasse dele o tempo sagrado com seus filhos. O sucesso é mais perigoso do que o fracasso. Mais homens caem no topo da pirâmide do que nos vales. Mais homens naufragam na prosperidade do que na adversidade. Mais homens perdem a família por causa da riqueza do que por causa da pobreza. Nenhum sucesso compensa o fracasso do casamento. Nenhum sucesso compensa o naufrágio da família. Nenhum sucesso compensa relegar os filhos à própria sorte. Construir fortunas sobre os escombros da família é uma loucura. Amealhar riquezas deixando para trás os filhos feridos é uma insanidade. Granjear fortunas e perder os filhos é a mais consumada tolice. Jó não agiu assim. Ele dedicou o melhor do seu tempo e o melhor do seu coração para investir nos filhos e mantê-los unidos e fiéis.

A família é uma dádiva de Deus. O casamento é uma instituição divina. Deus instituiu o casamento para a felicidade do homem e da mulher. Viver na solidão é uma triste realidade. É claro que o casamento traz, também, angústia na alma (1Co 7). O casamento é um grande mistério. É a união não de dois iguais, mas de dois diferentes. O sábio disse que havia coisas que o deixavam encantado, mas o casamento era para ele incompreensível (Pv 30.18,19). A criação de filhos é sempre uma mistura de alegrias e lágrimas, de dias iluminados de celebração e noites solitárias de gemidos.

A família é o cenário onde coisas estranhas acontecem. Não é natural um pai e uma mãe enterrarem seus filhos. Mas isso acontece. Meus pais quase chegaram à loucura quando tiveram que sepultar meu irmão, assassinado com 27 anos, na plenitude de seu vigor. Na família, alguns, inexplicavelmente, furam a fila, e isso provoca uma dor insuportável. É uma doença súbita, um acidente trágico, um assalto inesperado, um assassinato cruel. Jó precisou sepultar seus dez filhos num único dia. A nuvem escura de uma tristeza indescritível tomou conta de sua vida. Uma dor sem limites invadiu seu coração. O choro amargo foi seu alimento, e as cinzas foram o seu único bálsamo.

Jó, um homem financeiramente realizado

Jó era o maior empresário rural de seu tempo, o homem mais rico de sua geração no Oriente. Toda a sua fortuna é descrita detalhadamente: *Possuía sete mil ovelhas, três mil camelos, quinhentas juntas de bois e quinhentas jumentas. Tinha também muitos servos que trabalhavam para ele, de modo que era o homem mais rico de todos os do Oriente* (Jó 1.3). A vida de Jó refuta a ideia de que pessoas ricas não podem ser piedosas. A riqueza não é um pecado, nem a pobreza é uma virtude. A riqueza quando honestamente adquirida é uma bênção. É Deus quem fortalece as nossas mãos para adquirirmos riquezas. Riquezas e glórias vêm do próprio Deus.

A riqueza de Jó não seduziu seu coração nem ofuscou seus olhos. A riqueza de Jó não dividiu a devoção de seu coração nem apagou o fervor de sua alma. A riqueza vinha de Deus, e ele sabia que seu amor deveria ser endereçado a Deus, e não às dádivas de Deus. Jó tinha claro em sua mente que o abençoador é melhor do que a bênção e que o doador é melhor do que suas dádivas.

A riqueza pode ser uma bênção ou uma maldição. A riqueza que vem de Deus como fruto do trabalho honrado é uma bênção, pois o rico não considera seus bens apenas como uma propriedade particular para ser usufruída, mas vê-se como mordomo de Deus, administrando o alheio, otimizando os recursos que gerencia para abençoar outras pessoas. Quando o homem entende que tudo vem de Deus e tudo pertence a Deus, não tem dificuldade de colocar esse tudo nas mãos de Deus. O homem não trouxe nada para este mundo, nem vai levar nada dele. Portanto, precisa compreender o mistério do pobre e o ministério do rico. É Deus quem faz o rico e o pobre. O pobre deve ser socorrido pelo rico, e o rico deve abençoar o pobre, a fim de que haja por parte do pobre gratidão pela generosidade do rico e por parte do rico a alegria de dar, pois mais bem-aventurado é dar que receber.

A riqueza adquirida pelo expediente da opressão, do suborno, da corrupção e da violência torna-se uma maldição consumada. Construir impérios econômicos, arrebatando o direito do inocente, saqueando a casa do pobre, oprimindo o órfão e a viúva, é lavrar para si mesmo uma sentença de morte, é colocar laço para os próprios pés e cavar a própria sepultura. Deus é o reto juiz, e ele é o grande defensor dos indefesos e inocentes. Aqueles que maquinam o mal para arrebatar os bens dos pobres e que maquinam de noite projetos iníquos e logo ao amanhecer já os colocam em prática porque têm o poder nas mãos, mesmo acumulando bens e bens, riquezas e mais riquezas, não usufruirão no sentido pleno desses haveres. Comerão, mas não se fartarão; vestirão, mas não se aquecerão. Buscarão aventuras, as mais extravagantes, e não encontrarão nesses banquetes dos prazeres a satisfação para sua alma.

Jó tinha plena convicção de que Deus havia cercado sua vida e sua família com uma muralha de proteção. Ele tinha certeza de que seus bens haviam se multiplicado na terra não apenas por causa de seu tirocínio administrativo, mas, sobretudo, porque Deus havia abençoado a obra de suas mãos. Por isso, Jó era um homem generoso. Sua devoção a Deus levou-o a ser um homem de coração aberto, casa aberta e bolso aberto para ajudar os necessitados.

O texto bíblico deixa claro que Jó não era apenas um homem rico, mas o mais rico de sua geração no Oriente: *... de modo que era o homem mais* *rico de todos do oriente* (Jó 1.3). Jó superava todos os seus concorrentes. Ninguém se comparava a ele no que concernia à prosperidade financeira e à piedade pessoal. Jó era um homem realizado em sua vida financeira, em sua vida familiar e em seu relacionamento com Deus.

Jó, um pai que investiu no relacionamento dos filhos, plantando neles a semente da amizade

Os filhos não são naturalmente unidos. Para ter uma família unida, é preciso pagar um alto preço. Não é pelo fato de os irmãos terem os mesmos pais, o mesmo sangue e o mesmo sobrenome que eles são unidos. A amizade entre os irmãos é um trabalho árduo e perseverante dos pais. Jó era um homem próspero e feliz. Mas a maior riqueza dele era a sua família. No mundo oriental, ter uma família grande ainda hoje é sinal da bênção de Deus. Os filhos eram como flechas na mão do guerreiro. Os filhos são carregados pelos pais, são lançados rumo ao alvo certo, e se tornam os defensores dos pais. Os pais investem nos filhos, e depois recebem o retorno desse investimento. Os pais semeiam na vida dos filhos, e mais tarde os filhos semeiam na vida dos pais. Os pais protegem os filhos quando são pequenos, e depois os filhos protegem os pais quando estes colocam os pés na geografia da velhice.

Não apenas Jó era um homem feliz, mas os seus filhos também tinham famílias felizes.

Vejamos o registro bíblico: *Seus filhos visitavam uns aos outros, e cada vez um deles fazia um banquete e mandava convidar suas três irmãs para comerem e beberem com eles* (Jó 1.4). Precisamos aprender a celebrar como família. Precisamos cultivar a amizade na família. Os irmãos precisam ser amigos, amáveis e carinhosos uns com os outros. Nada mais alegra o coração dos pais do que ver que seus filhos andam na verdade e cultivam o amor.

A paternidade é uma das missões mais nobres e também mais árduas. Muitos homens conquistaram grandes vitórias fora dos portões, mas não lograram êxito dentro de casa. Muitos homens granjearam fortunas e conquistaram muitas medalhas de honra ao mérito, mas não alcançaram sucesso com seus filhos. Mesmo na casa de homens de Deus como Abraão, Isaque, Jacó, Eli, Davi e Ezequias a crise se instalou, e seus filhos não tiveram um bom relacionamento com Deus nem uns com os outros. O sucesso familiar não é uma loteria, mas um trabalho árduo. Não é casual, mas intencional. Não é resultado do acaso, mas de um propósito deliberado. Nesse campo, de igual forma, não há colheita feliz sem semeadura com lágrimas.

Os filhos de Jó aprenderam a celebrar juntos em vez de se engalfinhar em brigas e contendas. É sabido que o dinheiro não une; divide. O dinheiro não aproxima; separa. O dinheiro não tem liga. Quanto mais rica é uma família, mais os filhos têm a tendência de se afastar uns dos outros. Os filhos de Jó tinham tempo para estar juntos. Eles festejavam seus aniversários juntos. Eles convidavam uns aos outros. Eles eram unidos. Eles se amavam. Mas essa união foi fruto do investimento de Jó. A união dos filhos foi fruto da criação que Jó deu a eles. Jó tinha tempo para os filhos. Ele costurou o vínculo do amor que manteve os filhos unidos.

Qual foi o processo usado por Jó para manter seus filhos unidos? Foi colocá-los perto de Deus. Jó orava pelos seus filhos, fazia holocaustos em favor deles e exortava os filhos a não pecarem contra Deus. Quando temos um relacionamento correto com Deus, então temos um relacionamento correto com as pessoas. Não podemos amar a Deus, a quem não vemos, se não amamos o nosso próximo, a quem vemos. Quando cultivamos um relacionamento vertical, pavimentamos ao mesmo tempo um relacionamento horizontal. Quanto mais perto de Deus andarmos, mais perto das pessoas estaremos.

Jó, um pai que exerceu plenamente o sacerdócio em seu lar

Para costurar a união dos filhos, Jó colocou-se na brecha em favor deles. Lutou não apenas para dar-lhes prosperidade e valores morais, mas, sobretudo, batalhou para vê-los caminhando no temor do Senhor. Jó não era apenas um conselheiro, mas também um intercessor. Vejamos o registro bíblico: *Passado o período dos banquetes, Jó os chamava para os santificar. Levantava-se de madrugada e oferecia sacrifícios de acordo com o número de todos eles; pois Jó pensava: Talvez meus filhos tenham pecado e blasfemado contra Deus no coração. E era assim que Jó procedia* (Jó 1.5). Algumas verdades devem ser destacadas:

Em primeiro lugar, *Jó se preocupava com a salvação dos filhos.* Diz o texto que Jó *oferecia sacrifícios de acordo com o número de todos eles*. Jó, semelhante a Abraão, tinha um altar em sua casa. Ele sabia que seus filhos precisavam estar debaixo do sangue. Jó sabia que não há remissão de pecados sem derramamento de sangue. Jó não descansava enquanto não oferecia o sacrifício em favor dos filhos. Seus filhos estão debaixo do sangue? Seus filhos estão dentro da arca da salvação? Seus filhos estão cobertos pelo sangue do Cordeiro?

É importante lutarmos para oferecer aos nossos filhos a melhor educação. É saudável oferecer aos filhos o melhor desta vida. Contudo, a coisa mais importante que podemos dar para os nossos filhos é o conhecimento de Deus. O sucesso dos nossos filhos será consumado fracasso se eles não conhecerem Deus. As conquistas dos nossos filhos serão troféus de palha se eles não forem remidos pelo Senhor. As vitórias dos nossos filhos terão um sabor amargo se eles não forem servos do altíssimo. Eles podem receber todas as honras da terra, mas, se eles não forem cidadãos dos céus, nada disso aproveitará.

A Bíblia nos fala de Ló. Ele foi seduzido pelas campinas verdejantes de Sodoma e Gomorra. Ele foi armando suas tendas por aquelas bandas, mesmo sabendo que aquelas cidades eram ímpias e perversas. Ele amou mais o dinheiro que às suas filhas. Ele levou a sua família para Sodoma e lá perdeu tudo que tinha e arruinou a sua família. Nenhum sucesso compensa o fracasso espiritual dos seus filhos. O que adianta você ganhar o mundo inteiro e perder a sua família?

A Bíblia nos fala de Eli. Ele era um sacerdote e juiz de Israel. Ele vivia resolvendo os problemas dos outros. Vivia aconselhando os filhos dos outros. Mas ele não cuidou dos próprios filhos. Ele não tinha tempo para os filhos. Ele não disciplinou os seus filhos. E seus filhos cresceram dentro da igreja, mas como filhos de Belial. Eles morreram na impiedade, porque Eli, embora um sacerdote, jamais se preocupou verdadeiramente com a salvação dos seus filhos. O Salmo 78 nos desafia a ganharmos os nossos filhos para Deus. Os nossos filhos precisam ser mais filhos de Deus do que nossos. Quando dedicamos nossos filhos a Deus, então os temos para sempre.

Devemos agir como a águia. Essa rainha dos ares tem um cuidado especial com os filhotes. Ela toma várias atitudes em relação aos filhotes. Primeiro, coloca o ninho deles no alto dos rochedos, longe dos predadores. Há muitos predadores que ameaçam as crianças, os adolescentes e os jovens hoje. Há perigos nas escolas, nas ruas, nas amizades, nos namoros, na internet. Muitos filhos têm sido detonados por causa desses predadores. Muitos jovens têm sido arrastados para o pântano do vício por causa da sedução mortal desses predadores. O rei Davi não colocou o ninho de seus filhos nos lugares altos. Dava a eles ricos presentes, mas não sua presença. Fez deles seus ministros de Estado, mas não tinha diálogo com eles. Sua família foi profundamente ferida porque seus filhos não foram colocados nos altos refúgios.

Segundo, quando os filhotes já estão grandes, aptos para voar, a águia voeja sobre o ninho para dar-lhes exemplo e inspiração. Os pais precisam ser modelo para os filhos. Os pais não educam os filhos apenas com palavras, mas, sobretudo, com exemplo. Albert Schweitzer disse que o exemplo não é apenas uma forma de ensinar, mas a única forma eficaz de fazê-lo. Quando os filhotes se acomodam no conforto do ninho e não se lançam no espaço a despeito de já estarem aptos para isso, a águia toma uma medida radical, como veremos a seguir. Aqueles pais que mantêm os filhos no ninho cálido da imaturidade, superprotegendo-os, não trabalham por eles, mas contra eles. Não criamos os nossos filhos para nós; preparamo-los para a vida.

Terceiro, a águia com suas possantes garras, arranca os filhotes do ninho e os lança no espaço desde as alturas. Por nunca terem voado, esses filhotes caem vertiginosamente, dando cambalhotas no ar. A águia deixa os filhos passarem por essa assustadora experiência. Contudo, antes de eles serem esmagados no chão, ela estende sob eles suas potentes asas, leva-os novamente para as alturas e de lá os lança outra vez. A águia faz isso várias vezes, até que os filhotes aprendam a voar sozinhos. Duas coisas a águia faz com os filhotes: disciplina e discipula. Ela não os poupa nem desiste deles. Assim devemos agir como pais. Os pais nunca podem desistir de seus filhos. Mesmo quando seus filhos erram, os pais precisam perdoá-los.

Fiquei profundamente comovido quando li a história de um garoto que morava no Rio de Janeiro, filho de um pai militar, que estudava numa escola muito rigorosa. Um dia, esse menino foi apanhado pelo professor de geografia numa tentativa de colar numa prova. O professor tomou-lhe a prova e deu-lhe zero. A direção da escola chamou os pais e expôs a situação. O menino ficou muito envergonhado com o fato e, no caminho de volta para casa, tentou conversar com os pais para explicar a situação. Os pais, revoltados e envergonhados com sua atitude, não quiserem ouvi-lo. Passaram-se sete dias, e o menino não conseguiu restabelecer a comunicação com os pais para explicar-lhes o ocorrido. O garoto, mergulhado em sua tristeza profunda, percebeu que não tinha sequer o direito de abrir o coração para os pais e defender sua inocência no ocorrido. No final da semana seguinte, os pais saíram de casa para ir ao supermercado, e o garoto pegou um papel e uma caneta e começou a escrever uma carta para os pais, dizendo: "Papai e mamãe, estou muito triste. E a minha maior tristeza foi não ter tido o direito de olhar nos seus olhos e dizer que o meu professor se equivocou. Eu sou inocente. Eu não estava colando na prova. A dor de não poder me defender esmagou minha alma. Perdoem-me. Eu não consegui superar isso". O menino, então, pegou o revólver do pai que estava no quarto e deu um tiro na cabeça, ceifando a própria vida. Quando os pais chegaram, o menino estava caído numa poça de sangue, com o revólver numa mão e a carta na outra. Esse fato dramático ensina-nos que nunca podemos fechar os canais de comunicação com os nossos filhos. Nunca podemos desistir de investir em nossos filhos. Nunca podemos deixar de ouvir nossos filhos. Nunca podemos desistir de nossos filhos!

Em segundo lugar, *Jó se preocupava com a santificação dos seus filhos*. O texto bíblico é claro: *Jó chamava [seus filhos] para os santificar*. Jó exercia forte influência sobre a vida dos filhos. Ele os chamava. Jó era proativo. Não esperava ser acionado. Ele tomava a iniciativa. Jó tinha tempo para os filhos. Ele não substituía presença por presentes. Ele os chamava, os santificava e investia na vida espiritual dos filhos.

A Bíblia nos ensina a não provocar os nossos filhos à ira, mas criá-los na admoestação e na disciplina do Senhor. A Bíblia nos exorta a não irritarmos os nossos filhos para que eles não fiquem desanimados. A Bíblia nos diz que devemos guardar a Palavra em nosso coração e inculcá-la na mente dos nossos filhos. A Bíblia nos ensina a liderar a nossa família nessa grande aventura de servir a Deus. Foi essa a grande decisão de Josué, ao ver que a geração que tinha entrado na terra prometida estava abandonando a Deus. Ele foi incisivo: *Eu e a minha casa cultuaremos o Senhor* (Js 24.15). Pai, você tem santificado os seus filhos? Tem lido a Bíblia com eles? Tem feito o culto doméstico com eles? Tem chamado seus filhos para falar com eles sobre Deus? Tem chorado diante de Deus pela salvação de seus filhos?

Em terceiro lugar, *Jó se preocupava com a intimidade de seus filhos com Deus.* O registro bíblico é eloquente: *Talvez meus filhos tenham pecado e blasfemado contra Deus no coração* (Jó 1.5). Jó se preocupava não apenas com a vida exterior dos filhos, mas, sobretudo, com os sentimentos do coração. Talvez a prosperidade pudesse levá-los a amar mais as coisas da terra que as coisas do céu. Talvez o conforto que a riqueza proporciona pudesse levá-los a excessos. Talvez, em suas celebrações, pudessem ultrapassar a fronteira do bom senso. Tudo isso era observado por Jó. Os pais precisam estar atentos não apenas à aparência dos filhos, mas, sobretudo, à vida íntima deles. Não basta dar-lhes uma roupa de grife e colocá-los nas melhores escolas se eles não temem a Deus no coração. Nós, que ficamos angustiados quando vemos nossos filhos doentes, temos nos preocupado com a pior de todas as doenças, o pecado, que pode destruí-los eternamente? Pai, você se preocupa com os problemas dos seus filhos? É amigo, confidente, conselheiro e intercessor de seus filhos? Seu coração está convertido ao coração dos seus filhos? Muitos pais constroem verdadeiros impérios econômicos, mas perdem os filhos. Deixam robusta herança para os filhos, mas não os conduzem a Cristo para receberem a herança imarcescível. Tornam seus filhos famosos na terra, mas não conhecidos no céu. Fazem de seus filhos verdadeiros monumentos do sucesso, mas não fazem nenhum investimento na vida espiritual deles.

Em quarto lugar, *Jó se colocava na brecha em favor dos filhos como um intercessor.* Jó orava por todos os seus filhos. Orava em favor de cada um deles, colocando diante de Deus especificamente a necessidade de cada filho. Cada filho tinha uma necessidade, um problema diferente, um temperamento diferente, uma causa diferente. Cada um tinha tentações diferentes, provas diferentes, necessidades diferentes. Precisamos aprender a colocar no altar de Deus os nossos filhos e suas causas. Precisamos como Ana devolver os nossos filhos para Deus a fim de que eles realizem os sonhos de Deus, e não simplesmente os nossos sonhos. Precisamos, como os pais de Sansão, orar pelos nossos filhos antes mesmo de eles nascerem. Jó orava de madrugada pelos filhos. Certamente Jó era um homem com uma agenda disputadíssima. Por ser o homem mais rico da sua região, tinha muitos negócios, muitos compromissos, muitos empregados para gerenciar. Sua agenda era congestionada com muitos afazeres. Mas o melhor do seu tempo era dedicado para interceder pelos filhos. Ele gastava o melhor do seu tempo na brecha em favor dos filhos.

Quando os pais se colocam de joelhos diante de Deus em favor dos filhos, Deus coloca os filhos de pé. Muitos homens e mulheres levantados por Deus para serem vasos de honra em suas mãos foram resultado da oração de seus pais. Aurélio Agostinho, o maior expoente da Igreja nos séculos quarto e quinto, foi fruto da oração de sua mãe. Mônica orou trinta anos por Agostinho. Mesmo sendo ele um homem devasso, Mônica nunca desistiu de chorar e clamar a Deus em favor de seu filho. Depois de trinta anos de lágrimas de sua mãe, Deus converteu o coração de Agostinho e levantou-o como o maior teólogo e pregador de sua geração. Ambrósio, um pai da Igreja, disse mais tarde: "Um filho de tantas lágrimas jamais poderia perecer". Tim Cimbala, pastor da Igreja Batista do Brooklyn, em Nova York, orou incessantemente pela sua filha primogênita. Essa jovem abandonou Deus, a igreja, a família e mergulhou na escuridão do mundo. Seu pai chorou por ela. Clamou aos céus em seu favor. Até que Deus a trouxe de volta, quebrantada, transformada, salva. Os pais nunca podem desistir de seus filhos.

Eu sou fruto da oração de minha mãe. Quando ela estava grávida, caiu gravemente enferma. O médico, com o argumento de que eu jamais poderia sobreviver, pois estava em agonia de morte, recomendou que eu fosse abortado. Chegou a dizer que, se ela prosseguisse com a gravidez, morreriam o filho e a mãe. Em vez de aceitar a decretação da derrota, sabendo que a última palavra é a do Deus vivo, minha mãe fez um voto a Deus, dizendo: "Se tu poupares minha vida e a vida do meu filho, consagrá-lo-ei a ti, para que ele seja um pastor, um pregador da tua Palavra". Deus ouviu a oração da minha mãe, e eu nasci. No tempo oportuno, Deus me chamou para o ministério da Palavra, e hoje reconheço que sou o que sou pela graça de Deus, porque o Todo-poderoso ouviu a oração de minha mãe.

Contudo, *Jó não apenas orava pelos seus filhos, mas orava perseverantemente* por eles. Jó era um homem de oração, um pai intercessor. Ele era o sacerdote do seu lar. Ele acreditava que seus filhos dependiam mais da bênção de Deus do que do dinheiro. Seus filhos eram ricos, mas careciam de Deus. Seus filhos tinham tudo, mas dependiam de Deus. O tudo sem Deus é nada. O sucesso sem Deus é fracasso. A maior necessidade dos filhos não é de coisas; é de Deus. Não é de conforto; é de Deus. Não é de bênçãos; é do abençoador. Jó não abria mão de ver seus filhos aos pés do Senhor. Por isso, não desistia de orar por eles.

Finalmente, Jó orava pelos seus filhos mesmo depois que eles já estavam adultos, tendo cada um a própria casa. O ministério de Jó não terminou após o crescimento dos filhos. Todos já estavam em suas casas, mas Jó continuava velando pela vida espiritual deles. Embora os seus filhos não estejam mais debaixo do abrigo do seu teto, mantenha-os debaixo do abrigo de suas orações. Nunca abra mão de colocar seus filhos no altar de Deus. Seus filhos são filhos da promessa. Eles são herança de Deus. Você não gerou filhos para a morte. Seja um reparador de brechas, a fim de que seus filhos possam reparar os fundamentos desta geração.

Capítulo 2

Um homem provado COM A PERMISSÃO DE DEUS

Jó 1.1-6 descreve a grandeza de Jó. A partir daí, descreve a provação de Jó. A cena muda radicalmente no capítulo 1, versículo 6. Sai da terra para as regiões celestes. Da reunião dos filhos de Jó e de Jó com os filhos para a reunião de Deus com seus filhos. A cena muda do andar de baixo para o andar de cima. Do cenário terreno para o cenário celestial.

Francis Schaeffer, considerado o maior intérprete do cristianismo do século 20, comparou a vida como uma casa de dois andares. No andar de baixo, onde vivemos, as coisas estão claras aos nossos olhos. É o lugar onde vemos, ouvimos, falamos, tocamos, sentimos. Aqui nascemos, vivemos e morremos. O andar de cima, chamado de regiões celestes, é um lugar real, porém invisível para nós. Nesse andar de cima vivem anjos de Deus e demônios pervertidos. Há uma espécie de interatividade entre o andar de cima e o andar de baixo. Muitas vezes somos tentados e acusados pelos demônios, e outras tantas vezes somos protegidos e guardados pelos anjos de Deus. Se os demônios, capitaneados por Satanás, não descansam, não dormem nem tiram férias, os anjos de Deus são espíritos ministradores em favor dos que herdam a salvação.

As teses de Satanás

Esse episódio relatado aqui em Jó 1.6-12 fala de uma reunião de Deus com os seus filhos, talvez os anjos, muito provavelmente nas regiões celestes. Nessa reunião aparece Satanás, o adversário. E o próprio Deus toma a iniciativa da conversa, perguntando a Satanás: *De onde vens?* Satanás responde: *De rodear a terra e de passear por ela.* Satanás é um inveterado turista. Ele está por aí, percorrendo a terra, vasculhando a vida das pessoas, armando laços para os pés de uns e instigando outros à queda. Satanás não tira férias nem tem dias de folga. Ele está 24 horas por dia no ar, vivo e ativo do planeta Terra, como um leão que ruge, buscando uma oportunidade para devorar suas presas.

Deus, então, cutuca-o novamente, perguntando: *Observaste o meu servo Jó? É um homem íntegro e correto, que teme a Deus e se desvia do mal.* Satanás poderia ter respondido: "Bem, esse ainda não observei. Não tive tempo ainda de examinar a vida dele. Estou ocupando com outras prioridades". Mas não foi essa a resposta de Satanás. Antes, ele disse: "Também pudera! Porventura Jó inutilmente serve a Deus? Tu tens abençoado a vida desse homem. É um indivíduo rico e poderoso. Tudo em que esse homem põe a mão vira dinheiro. Tu cercaste a vida dele com uma cerca viva, abençoaste as obras de suas mãos. Desse jeito, qualquer pessoa serviria a ti". Satanás é um ser rebelde e maligno. Por isso vê tudo de forma distorcida. Olha para Deus e para os homens projetando sua maldade. Satanás suspeita de Deus e também de Jó. Levanta dúvidas a respeito de Deus e também de Jó. Lança suas setas venenosas contra Deus e também contra Jó.

Satanás está aqui insinuando duas coisas: primeiro, que Deus precisa subornar as pessoas com bênçãos para receber delas adoração. Satanás está dizendo que Deus não é honesto. Que Deus precisa comprar o louvor dos homens oferecendo-lhes bênçãos especiais. Satanás se levanta contra o caráter de Deus, acusa-o e questiona suas motivações. Segundo, que Jó só serve a Deus por interesse. Satanás está insinuando que Jó também não é honesto. Está afirmando que a devoção de Jó não passa de uma barganha com Deus. Satanás acusa Jó de ser um utilitarista que se aproxima de Deus não por quem é Deus, mas por aquilo que Deus dá. Na verdade, Satanás está defendendo a tese de que todo mundo serve a Deus por algum interesse egoísta. Sendo assim, destacaremos, aqui, a primeira tese de Satanás.

A primeira tese de Satanás: Ninguém ama mais a Deus do que ao dinheiro

A primeira tese de Satanás é que ninguém ama mais a Deus do que ao dinheiro. Diante do alto elogio de Deus a Jó: *Observaste o meu servo Jó? Na terra não há ninguém como ele. É um homem íntegro e correto, que teme a Deus e se desvia do mal* (Jó 1.8), o argumento do Adversário é o de que Jó só era devoto porque era abençoado. No seu ataque implacável, Satanás suspeita dos verdadeiros motivos da fidelidade de Jó: *Será que Jó teme a Deus sem intenções?* (Jó 1.9). A acusação de Satanás reduz Jó a um homem egoísta, avarento, ganancioso, que faz da religião apenas uma plataforma para se enriquecer. Depois de assacar contra Jó seus libelos acusatórios, Satanás volta suas baterias contra Deus e diz: *Por acaso, tu não o tens protegido de todos os modos, a ele, sua família e tudo que ele tem? Tu tens abençoado a obra de suas mãos, e os seus bens se multiplicam sobre a terra* (Jó 1.10). Satanás está insinuando que ninguém adora a Deus por motivos puros, mas sempre por algum interesse ou retorno financeiro. A espiritualidade não passa de um meio para alcançar favores imediatos. O relacionamento com Deus é apenas uma forma mais rápida para enriquecer. O dinheiro é o grande vetor da espiritualidade. Satanás dá sua cartada final, quando diz a Deus: *Mas estende a mão agora e toca em tudo que ele tem, e ele blasfemará contra ti na tua face* (Jó 1.11). Satanás imaginou que todos os seres são corrompidos e egoístas como ele. Acusou Jó de ser interesseiro e acusou Deus de comprar adoração com a moeda da bênção. Satanás está insinuando que ninguém adora a Deus honestamente. Que ninguém serve a Deus com motivações puras. Está declarando que religião é um negócio, uma barganha, um jogo de interesses. Deus abençoa você, e você serve a Deus. Deus cumula você de coisas, e você o adora. Deus dá prosperidade, e você se dedica a ele. O centro de tudo, porém, não é Deus, mas você mesmo.

Esse tipo de teologia de que as pessoas buscam a Deus por prosperidade financeira, e não pelo caráter santo de Deus, tem sua origem em Satanás. Muitos hoje estão trocando Deus por Mamom. Procuram Deus para adquirir riquezas, e não para receber a vida eterna. Querem construir impérios neste mundo em vez de receber uma herança incorruptível no céu. Querem levantar monumentos para si mesmos neste mundo em vez de se alegrar por terem seu nome escrito no Livro da Vida. Amam o mundo e as coisas que há no mundo, e não a Deus e ao seu reino.

Satanás insolentemente diz a Deus: *... toca em tudo que ele tem, e ele blasfemará contra ti na tua face* (Jó 1.11). A tese de Satanás é que as pessoas só servem a Deus por interesse e que ninguém ama a Deus mais do que ao dinheiro. Jó não era apenas um homem rico, mas o mais rico do Oriente (Jó 1.3). Era o maior empresário rural do seu tempo. Tinha muitas terras, muitos camelos, muitas juntas de bois, muitos jumentos, muitos servos a seu serviço. Jó era um grande empreendedor, um grande administrador, um grande empresário. Sua fortuna era colossal, e sua fama era notória.

Diante da acusação de Satanás, Deus lhe permite tocar nos bens de Jó: *Então o SENHOR respondeu a Satanás: Tudo o que ele tem está sob teu poder, apenas não estendas a tua mão contra ele. E Satanás saiu da presença do SENHOR* (Jó 1.12). Sem que Jó soubesse, Deus o constitui seu advogado na terra. Coloca em suas mãos não apenas sua defesa, mas a reputação do próprio Deus. Satanás estava atacando Deus, insinuando que o Todo-poderoso, sendo carente de adoração, precisava subornar as pessoas com bênçãos para receber delas adoração. Aqueles que imaginam que Deus era incompleto antes da criação equivocam-se. Deus é perfeito em si mesmo, completo em si mesmo, feliz em si mesmo. Antes que houvesse céus e terra, Deus já desfrutava de plena felicidade na comunhão das três pessoas da Trindade. Deus não precisa derivar da criação nenhuma glória. Ele já é plenamente glorioso, e isso desde a eternidade. Deus, porém, criou o Universo para que este fosse um palco a resplandecer a grandeza do seu poder e criou o homem à sua imagem e semelhança para o louvor da glória de sua graça.

Será que a tese de Satanás era verdadeira? Será que a maior devoção do homem é ao dinheiro? Será que a fidelidade de Jó a Deus era devido à sua riqueza? Será que Jó servia a Deus por aquilo que Deus lhe dava, e não por quem Deus de fato era? Qual era o fundamento da devoção de Jó: o caráter de Deus ou as dádivas divinas?

Com a permissão de Deus, Satanás sai da presença dele e, de forma implacável, ataca os bens de Jó. Num único dia, ele arregimenta os caldeus, os sabeus e o fogo, e, num rastilho de pólvora, todos os bens desse rico patriarca são saqueados e destruídos. O relato bíblico é comovente:

> *Certo dia, quando os filhos e filhas de Jó comiam e bebiam vinho na casa do irmão mais velho, um mensageiro foi até Jó e lhe disse: Os bois estavam lavrando e as jumentas pastavam perto deles; então os sabeus os atacaram e os levaram. Eles ainda mataram os servos ao fio da espada, e só eu escapei para trazer-te essa notícia. Enquanto o mensageiro ainda falava, veio outro e disse: Fogo de Deus caiu do céu, queimou as ovelhas e os servos e os consumiu; só eu escapei para trazer-te essa notícia. Enquanto ele ainda falava, veio outro e disse: Os caldeus dividiram-se em três grupos, atacaram os camelos e os levaram, e ainda mataram os servos ao fio da espada; só eu escapei para trazer-te essa notícia* (Jó 1.13-17).

O homem mais rico do mundo vai à falência. O grande empresário rural perde tudo e vai à bancarrota. Seu império econômico entra em colapso. Como uma avalanche, as notícias vão chegando a Jó, informando-lhe que seus bens estão sendo dissipados. As coisas acontecem com uma celeridade incomum. Não dá tempo sequer para respirar. Jó não consegue elaborar um plano para estancar essa hemorragia que sangra sua economia. Não tem tempo para cercar o fogo nem mesmo para resistir ao ataque fulminante dos caldeus e sabeus. Jó, o homem mais rico do Oriente, está quebrado. Sua fortuna, como um castelo de areia, ruiu. Seus rebanhos estão nas mãos de ladrões impiedosos. Seus campos foram lambidos pelo fogo. Nada sobrou de toda a riqueza que ostentava. Tudo estava perdido!

Contudo, será que Satanás tinha razão em sua tese? Será que Jó blasfemaria mesmo de Deus? Será que Jó ergueria seus punhos contra Deus? Será que da boca de Jó sairiam torrentes de blasfêmias? Será que Jó negaria seu Deus no vale da prova? Será que a fidelidade de Jó estava fundamentada apenas nas benesses recebidas das mãos divinas? Será que a religião de Jó era apenas uma barganha? Um negócio lucrativo? Uma troca de favores? Qual foi a atitude desse patriarca ao perder todos os seus bens?

Muitos indivíduos, quando são atingidos pelos terremotos financeiros, desesperam-se. Outros insurgem-se contra Deus. Ainda outros cometem suicídio e dão cabo da própria vida. O que fez Jó? No exato momento que sofre o golpe, o patriarca prostra-se não para blasfemar contra Deus, mas para adorá-lo. Longe de atribuir a Deus qualquer culpa ou revoltar-se contra o altíssimo, afirmou: *Eu sai nu do ventre de minha mãe, e nu voltarei para lá* (Jó 1.21). Assim, Jó estava dizendo que a razão de sua vida não tinha como fundamento os bens que granjeara nem a riqueza que ostentava. Jó tinha plena consciência de que não havia trazido nada para este mundo nem levaria nada dele. Jó sabia que os bens são dádivas de Deus, que riqueza e glória vêm de Deus, mas que a vida de um homem não consiste na abundância de bens que ele possui. Jó definitivamente triunfa sobre a tese de Satanás. O relato bíblico é enfático: *Em tudo isso Jó não pecou, nem culpou a Deus coisa alguma* (Jó 1.22).

Jó foi constituído por Deus como seu advogado e rebateu e refutou a primeira tese de Satanás. As palavras e as atitudes de Jó foram argumentos arrasadores que demoliram toda a sustentação de Satanás e jogaram por terra todas as suas insinuações. Jó estava provando de forma eloquente que sua devoção a Deus não estava baseada no que recebia de Deus, mas no caráter do Senhor. Como os três amigos de Daniel na Babilônia, Jó não servia a Deus por aquilo que Deus dá, mas por quem é Deus. Deus pode nos livrar do mal. Deus pode nos proteger das setas do inimigo. Deus pode nos tirar da fornalha. Deus pode nos arrancar das entranhas do mar. Deus pode nos poupar dos terremotos financeiros, dos ventos furiosos da enfermidade, dos ataques implacáveis dos inimigos, mas se ele, em sua sábia providência, quiser nos entregar para sofrermos o golpe da dor, das perdas e da morte, mesmo assim seremos fiéis a ele. Uns honram Deus pelo livramento da morte; outros honram Deus na morte. Uns glorificam Deus sendo poupados do fogo; outros honram Deus sendo queimados no fogo. Uns honram Deus na libertação da morte; outros honram Deus no martírio. Essa é a história da galeria dos heróis da fé. Uns pela fé foram libertos da morte; outros pela fé selaram com seu sangue sua fidelidade a Deus.

A segunda tese de Satanás: Ninguém ama mais a Deus do que à família

Jó não tinha apenas bens; tinha também, e sobretudo, dez filhos. A maior riqueza de Jó não eram suas propriedades nem seus rebanhos, mas sua família. Jó não era apenas o homem mais rico do mundo, mas também o homem mais piedoso da terra. O próprio Deus destaca as virtudes singulares desse patriarca. Não havia ninguém na terra semelhante a ele: *homem íntegro e reto; homem temente a Deus e que se desviava do mal* (Jó 1.1; 1.8; 2.3). A piedade de Jó era notória. Sua devoção a Deus era conhecida de todos. Seus sólidos valores morais podiam ser vistos em como lidava com as pessoas à sua volta. Jó *livrava o pobre que clamava e o órfão que não tinha quem o socorresse* (Jó 29.12). Jó ajudava as viúvas em sua aflição e trazia-lhes júbilo na hora do luto (Jó 29.13). Jó se fazia de *olhos para o cego e de pés para o coxo* (Jó 29.15). Jó era pai dos necessitados, e até as causas dos desamparados ele examinava (Jó 29.16). Jó era um conselheiro muito admirado e ouvido: *Ouviam-me e me esperavam; em silêncio atendiam ao meu conselho. Havendo eu falado, não replicavam; as minhas palavras caíam sobre eles como orvalho. Esperavam-me como à chuva, abriam a boca como à chuva de primavera* (Jó 29.21-23). Jó era um conselheiro e consolador do seu povo: *Eu escolhia o caminho para eles, assentava-me como chefe e habitava como rei entre as suas tropas, como aquele que consola os aflitos* (Jó 29.25). Mesmo sendo o homem mais poderoso de seu tempo, não havia soberba em seu coração. Ele temia a Deus e servia ao próximo. Seus pés não caminhavam na direção das estradas escorregadias do pecado, mas marchavam pelas sendas da solidariedade. Guardava puro seu coração e estendia as mãos para abençoar. Ele se desviava do mal e caminhava resoluto na direção do bem.

A piedade de Jó não era apenas fora dos portões. Sua reputação pública era sustentada pela sua piedade secreta. Jó era um homem de oração e tinha profundo compromisso com a honra do nome de Deus.

Um dos grandes destaques da vida de Jó era sua posição como pai intercessor. Seus filhos já eram pessoas de sucesso. Cada um já possuía a própria casa. Não obstante serem muitos, abastados e ricos, conservavam estreita amizade. Eram unidos. Celebravam juntos. Essa unidade familiar não é costurada sem esforço. Jó era o grande arquiteto dela. Era um pai piedoso e também um pai intercessor. Jó dedicava o melhor do seu tempo para orar pelos filhos, para colocar-se na brecha em favor deles. Chamava os filhos e exortava-os a não pecar contra Deus. A preocupação principal de Jó não era com a reputação dos filhos, mas com a glória de Deus. Ele tinha preocupação de que seus filhos pecassem contra Deus em seu coração. Apenas aparência de piedade não servia para Jó. Tomava cuidado para que seus filhos não caíssem nas malhas da hipocrisia.

Mesmo sendo um pai tão zeloso, a tragédia um dia bateu à porta de sua casa. Mesmo sendo um pai intercessor, um dia a crise se instalou em sua família. Mesmo cumprindo cabalmente seu papel de sacerdote do lar, um dia a tempestade desabou sobre sua cabeça. No mesmo dia em que perdeu todos os seus bens, chegou-lhe a amarga notícia de que seus filhos, reunidos na casa do primogênito, sofreram um trágico acidente, e a casa desabou sobre todos eles, vindo todos a óbito. Eis o dramático relato: *Enquanto ele ainda falava, veio outro e disse: Teus filhos e tuas filhas estavam comendo e bebendo vinho na casa do irmão mais velho; veio um forte vento do deserto, atingiu os quatro cantos da casa, que caiu sobre os jovens, e eles morreram. Só eu escapei para trazer-te essa notícia* (Jó 1.18,19).

Depois de sofrer o golpe da falência, agora Jó sofre a dor do luto, e o luto pelos dez filhos, no mesmo dia. Esse pai, arruinado financeiramente, agora precisa sepultar seus dez filhos num único dia. Como esse homem volta do cemitério? Como recomeça a vida? Como encontra alento para dar os primeiros passos? O que fazer nessas horas? Jó havia perdido coisas e pessoas. Havia perdido os bens e os filhos. Estava despojado de suas riquezas e de sua família. Parecia que esse homem só tinha passado e mais nenhum futuro. O presente havia mostrado a ele sua carranca. Os golpes tinham sido profundos demais, e ele está sem fôlego para prosseguir.

Será que Satanás estava certo em dizer que ninguém ama mais a Deus do que à família? Será que a devoção do homem a Deus fica sempre aquém de seu amor aos filhos? O mesmo Jó que já havia prevalecido no primeiro *round* da luta se manteria de pé nessa nova empreitada? Ergueria Jó seus punhos contra Deus? Revoltar-se-ia contra o altíssimo, atribuindo a ele sua desdita? Será que Jó pecaria contra Deus ao sofrer tão amarga perda? Será que Satanás ganharia esse *round* da luta?

A reação de Jó, ao receber a notícia fatídica da morte de seus filhos, foi prostrar-se, cobrir-se de pó e adorar a Deus. *Então Jó se levantou, rasgou o manto, rapou a cabeça, prostrou-se no chão, adorou e orou: Eu saí nu do ventre de minha mãe, e nu voltarei para lá. O SENHOR o deu, e o SENHOR o tirou; bendito seja o nome do SENHOR. Em tudo isso Jó não pecou, nem culpou a Deus por coisa alguma* (Jó 1.20-22). Jó tem algumas atitudes aqui:

Primeiro, Jó tinha plena convicção de que os filhos são presentes de Deus. É Deus quem os dá, e só ele pode fazê-lo. Os filhos são herança do Senhor. Eles vieram de Deus, pertencem a Deus e devem ser entregues e consagrados a Deus.

Segundo, Jó tinha plena convicção de que Deus é soberano para tomar os filhos conforme o seu perfeito propósito. Não importa se os agentes que ceifam a vida dos filhos são perversos; só Deus tem o poder de dar a vida e de tirá-la. Até mesmo nas maiores tragédias é Deus quem está no controle. Até mesmo quando Satanás está agindo, é a mão da providência de Deus que está governando. Mesmo que a providência seja carrancuda, é a face benevolente de Deus que está voltada para nós. Os dramas da nossa vida não apanham Deus de surpresa nem desafiam sua providência. Mesmo quando cruzamos os vales mais escuros, é a mão de Deus que dirige o nosso destino.

Terceiro, Jó tinha plena convicção de que devemos adorar a Deus pelos nossos filhos, seja na vida, seja na morte. Nem sempre a providência divina vem a nós com largos sorrisos. Às vezes, a providência se torna carrancuda. Às vezes, sofremos golpes profundos e aprendemos pelas coisas que sofremos. Deus não é Deus apenas das horas alegres, mas também das horas tristes. Deus é digno de ser adorado não apenas na hora do nascimento, mas também na hora da morte. Nossa adoração a Deus é incondicional e ultracircunstancial.

Jó, como advogado de Deus, refuta de forma esmagadora a segunda tese de Satanás. Jó não blasfemou contra Deus, mas adorou-o com o coração quebrantado. O mesmo sol que endurece o barro amolece a cera. O mesmo golpe que nos ímpios produz revolta nos piedosos produz quebrantamento. As mesmas lágrimas que se tornam torrentes de revolta nos ímpios tornam-se águas abençoadoras nos pios, para regar-lhes a alma com profunda adoração.

Destacamos o fato de que Satanás não é um adversário onipotente. Ele está limitado pelo próprio Deus. Mesmo o Senhor lhe dando a permissão para tocar em tudo quanto Jó possuía, traçou limites que ele não podia ultrapassar: *Tudo o que ele tem está sob teu poder, apenas não estendas a tua mão contra ele* (Jó 1.12). Mesmo quando Satanás está agindo, é Deus quem está no controle. Até Satanás está a serviço de Deus!

A terceira tese de Satanás: Ninguém ama mais a Deus do que à própria pele

Novamente Deus estava reunido com seus filhos (muito provavelmente os anjos) e também muito provavelmente nas regiões celestes, quando mais uma vez aparece por lá Satanás. Veja o registro bíblico: *Outro dia, em que os filhos de Deus vieram apresentar-se perante o* Senhor*, Satanás também veio com eles para igualmente se apresentar perante o* Senhor*. Então o* Senhor *perguntou a Satanás: De onde vens? Satanás respondeu ao* Senhor*: De rodear a terra e de passear por ela* (Jó 2.1,2). Veja que mais uma vez é Deus quem entabula a conversa com Satanás, perguntando-lhe: *De onde vens?* Satanás respondeu: *De rodear a terra e de passear por ela.* Em outras palavras, Satanás disse: "Eu não mudei minha agenda. Continuo fazendo o que sempre fiz. Estou por aí, vivo e ativo no planeta Terra, investigando pessoas, buscando uma brecha, colocando armadilhas no caminho dos incautos, cegando o entendimento dos incrédulos, controlando os filhos da ira, induzindo-os ao erro, criando doutrinas falsas, tentando e seduzindo pessoas a caírem em tentação".

Deus novamente perguntou a Satanás: *Observaste o meu servo Jó? Não há ninguém na terra como ele. É um homem íntegro e correto, que teme a Deus e se desvia do mal. Ele ainda se mantém íntegro, embora tu me houvesses incitado contra ele, para destruí-lo sem motivo* (Jó 2.3). Deus joga na cara de Satanás que Jó havia derrotado suas duas primeiras teses. Jó provara que seu amor a Deus era superior ao seu amor ao dinheiro e à família. Jó provara que sua devoção a Deus não era um negócio. Jó não tinha uma fé utilitária. Sua adoração era verdadeira, e sua devoção era sincera.

Mesmo diante das perdas mais profundas, falência financeira e luto pelos filhos, Jó continuava sendo o homem mais piedoso do mundo. Sua piedade e sua reputação estavam intactas. Nenhum arranhão existia em seu relacionamento com Deus. Não se via nenhuma brecha em sua armadura. Jó não servia a Deus por aquilo que recebia dele, mas por quem é Deus. O caráter de Deus, e não os dons de Deus, eram o fundamento de sua adoração.

Satanás, contra-ataca lançando seu torpedo mortífero. Eis o registro bíblico: *Então Satanás respondeu ao Senhor: Pele por pele! Tudo quanto um homem tem ele dará por sua vida. Estende a mão agora e toca-lhe nos ossos e na carne, e ele blasfemará contra ti na tua face!* (Jó 2.4,5). A terceira tese de Satanás é que ninguém ama mais a Deus do que a si mesmo. O amor-próprio é um sentimento inato e uma defesa natural. Protegemo-nos instantaneamente, naturalmente, constantemente. Tocar na pele, nos ossos e na carne é a forma mais profunda de atingir alguém. É não apenas atingir sua saúde, mas atingi-la da forma mais aguda e dolorosa. Satanás está insinuando que, na dor, ninguém consegue ser fiel a Deus. Satanás está propagando que, no sofrimento, os valores do homem mudam. Satanás está duvidando da firmeza de Jó quando as baterias do sofrimento atingirem não apenas seu bolso e suas emoções, mas também seu corpo.

Deus, então, sem que Jó soubesse, o constitui mais uma vez seu advogado e abre caminho para que Satanás toque em sua pele, em seus ossos e em sua carne. *Então o SENHOR disse a Satanás: Ele está sob teu poder; somente lhe poupa a vida* (Jó 2.6). Satanás só pode agir na vida dos filhos de Deus quando este o permite. Deus traça um limite: *... somente lhe poupa a vida*. Satanás é um ser limitado. Ele só pode ir até onde Deus permite que vá. Nem um centímetro a mais. Muitos hoje exageram na questão da batalha espiritual. Ao defenderem uma visão maniqueísta, colocam Satanás como um deus caído, e não como um anjo caído. Satanás é uma criatura. Não tem os atributos da divindade. Satanás é limitado quanto ao tempo, ao poder e ao território de sua ação. Satanás, como bem afirmou Lutero, é um cachorro na coleira de Deus. Só pode ir até onde Deus lhe permite ir.

Apesar disso, não podemos ignorar seus desígnios. Satanás é descrito na Escritura como opositor e acusador. Ele é o deus deste século, o príncipe das potestades do ar, o pai da mentira. Satanás é ladrão e assassino. Ele é tentador e destruidor. Ele veio para roubar, matar e destruir.

Satanás tem uma corja demoníaca que trabalha sob suas ordens. Nossa luta é contra esses principados, potestades, dominadores deste mundo tenebroso e forças espirituais do mal.

Diz o texto bíblico: *Satanás saiu da presença do SENHOR e feriu Jó com feridas malignas, da sola dos pés até o alto da cabeça* (Jó 2.7). Satanás é um ser mórbido. Seu desejo é ver as pessoas sofrerem. Sua missão é causar dor. Ele colocou uma enfermidade assaz dolorosa em Jó. Tumores malignos cobriram todo o corpo do enlutado patriarca. O mesmo Jó que acabara de perder todos os seus bens e sepultar todos os seus filhos, imaginando que sua dor já era grande demais, agora enfrenta uma doença avassaladora, que deixara chagado todo o seu corpo.

Bolhas de pus arrebentam em seu corpo. Sua pele fica enegrecida e necrosada. A dor lancinante o atormenta de dia e de noite. Não há pausa nem descanso. Não há alívio sequer um minuto. O homem mais rico do Oriente, agora falido e enlutado, está também desolado e atormentado por uma dor que castiga com rigor desmesurado o seu corpo. Jó se assenta na cinza e começa a raspar suas feridas putrefatas com cacos de telha. Novas bolhas cheias de pus se formam, e ele morde nessas feridas, numa tentativa malfadada de aliviar seu tormento. Diz o texto: *Sentando-se em cinzas, Jó pegou um caco para se raspar* (Jó 2.8).

O corpo de Jó é surrado pela doença. A dor cruel lateja em todo o seu corpo sem pausa nem descanso. Jó não consegue comer, apenas chorar.

Sua dor não cessa. Seu corpo fica esquálido. Seus ossos quase à mostra revelam a tragédia que devasta sua saúde. O mau cheiro que exala de seu corpo é insuportável. Até mesmo sua família o desampara. Sua mulher, num ato de revolta e desespero, em sintonia com a tese de Satanás, sugere ao marido amaldiçoar a Deus e morrer. Ela está dizendo que Deus não é digno de ser adorado no sofrimento. Diz a Escritura: *Então sua mulher lhe disse: Tu ainda te manténs íntegro? Amaldiçoa a Deus e morre* (Jó 2.9).

Muitos blasfemam contra Deus na dor. Outros se revoltam e erguem os punhos contra os céus. Não poucos se afastam de Deus, decepcionados e amargurados. O mesmo sol que amolece a cera endurece o barro. O mesmo sofrimento que produz quebrantamento numa pessoa produz endurecimento noutra. Jó, o alvo do ataque mais violento, está resignado; sua mulher, ao seu lado, está revoltada. Jó está quebrantado; sua mulher está endurecida. No torvelinho da dor, no epicentro da tempestade, Jó responde à sua mulher: *Tu falas como uma louca. Por acaso receberemos de Deus apenas o bem e não também a desgraça? Em tudo isso Jó não pecou com os lábios* (Jó 2.10).

Estava derrubada a terceira tese de Satanás. Jó provou amar mais a Deus do que a si mesmo. Deixou patente que amava mais a Deus do que à própria pele. Jó não servia a Deus pelos favores recebidos dele, mas servia-lhe pelo seu caráter. Deus é melhor do que as dádivas dele.

Satanás tirou tudo de Jó: seus bens, seus filhos, sua saúde e, agora, o apoio de sua mulher. Mesmo assim, sob a mais densa tormenta, no epicentro da crise, Jó mantém sua fidelidade a Deus. O homem mais rico do mundo torna-se o mais pobre entre os pobres. O homem mais honrado torna-se o mais desonrado entre os aflitos. O homem mais cercado de respeito e admiração está, agora, na cinza, coberto de chagas, sentindo dores atrozes. Mesmo coberto de desventuras, mesmo surrado pelo chicote da dor, mesmo com os olhos molhados de lágrimas, mesmo perdendo todas as conexões da terra, Jó não perde seu amor a Deus nem sua esperança no redentor. Do mais profundo dos vales, ele gritou: *Eu sei que o meu redentor vive* (Jó 19.25).

O sofrimento de Jó pode ser analisado em dois aspectos principais: primeiro, o sofrimento físico. Ele foi coberto de tumores malignos da planta dos pés ao alto da cabeça (Jó 2.7,8). A sua dor era imensa. Seus amigos *ficaram sentados com ele no chão sete dias e sete noites; e nenhum deles lhe dizia nada, pois viram que sua dor era muito grande* (Jó 2.13). Ele não conseguia dormir por causa da dor lancinante. Jó declarou: *Não tenho tranquilidade, nem sossego, nem descanso; somente perturbação* (Jó 3.26). Ele não conseguia parar de chorar. Chegou a afirmar: *Pois em lugar de alimento me vêm suspiros, e os meus gemidos se derramam como água* (Jó 3.24). Ele não tinha nenhum alívio do seu sofrimento. Não tinha descanso nem sossego. Suas noites eram longas e cheias de aflição. Vejamos a sua queixa: *assim me deram meses de desengano, e destinaram-me noites de aflição. Quando me deito, digo: Quando me levantarei? Mas a noite é longa, e canso de me revolver na cama até o alvorecer* (Jó 7.3,4). Sua pele ficou cheia de feridas e pus. Disse Jó: *Meu corpo está coberto de vermes e de crostas de sujeira; a minha pele se resseca, e as feridas voltam a se abrir* (Jó 7.5). Suas dores o apavoravam (Jó 9.27,28). Seu corpo apodrecia como uma roupa comida de traça (Jó 13.28), encarquilhado e magérrimo (Jó 16.8). Seus ossos se deslocaram. Sua dor não tinha pausa (Jó 30.17). Sua pele enegreceu e começou a descamar. Seus ossos queimavam de febre (Jó 30.30).

Tendo visto o sofrimento físico de Jó, veremos agora seu sofrimento emocional. Ele ficou angustiado e amargurado (Jó 7.11). À noite, seus sonhos e visões só lhe traziam mais terror (Jó 7.14). Ele chegou a ficar cansado de viver (Jó 10.1). Seu rosto afogueou de tanto chorar (Jó 16.16). Ele estava cercado de pessoas que o provocavam (Jó 17.2). Sua desventura foi proclamada em todo o mundo (Jó 17.6). As pessoas cuspiam em seu rosto (Jó 17.6; 30.10). Seus sonhos e esperanças malograram (Jó 17.11). Os irmãos e conhecidos fugiram dele na sua dor (Jó 19.13). Os parentes o desampararam (Jó 19.14). As pessoas que receberam sua ajuda no passado agora o tratavam com desprezo (Jó 19.15). O mau hálito e o mau cheiro que exalavam do seu corpo expulsaram a esposa e os irmãos de perto dele (Jó 19.17). Até as crianças o desprezavam e dele zombavam (Jó 19.18). Todos os seus amigos íntimos o abandonaram (Jó 17.2).

Sua honra e felicidade foram arrancadas (Jó 30.15). Aconteceu o contrário de tudo de bom que ele desejou (Jó 30.26,27).

Quando os amigos tornam-se consoladores molestos

Os amigos de Jó vieram de longe para condoer-se dele. Eram amigos de fato. Combinaram de ir ao encontro dele para o consolar em sua desventura. Jó estava tão desfigurado pelo sofrimento que eles nem sequer o reconheceram. Ao ver sua desolação, assentaram-se com ele na cinza durante sete dias sem abrir a boca. O relato bíblico é comovente:

> *E três amigos de Jó, ouvindo falar da desgraça que lhe havia acontecido, vieram, cada um do seu lugar, pois haviam combinado de vir prestar-lhe solidariedade e consolá-lo: Elifaz, o temanita; Bildade, o suíta; e Zofar, o naamatita. Eles o viram de longe, mas não o reconheceram. Então choraram bem alto, e cada um rasgou o seu manto e jogou terra para o ar sobre a cabeça. E ficaram sentados com ele no chão sete dias e sete noites; e nenhum deles lhe dizia nada, pois viram que sua dor era muito grande* (Jó 2.11-13).

Só amigos verdadeiros conseguem manifestar amor tão acendrado e demonstrar empatia tão profunda. Quando a dor lateja no corpo do outro, somos levados a falar. Quando atinge a nós mesmos, só conseguimos gemer. Eles se calam diante da dor de Jó. Choram com ele. Gemem com ele. Sofrem com ele. Buscam uma resposta para aquela tragédia. Entregam-se à reflexão. Elaboram conjecturas.

Quando abrem a boca, acabam tornando-se consoladores molestos. Os amigos de Jó assacaram contra ele pesados libelos acusatórios. Atingiram-no com armas de grosso calibre. Teceram-lhe as mais duras críticas e endereçaram a ele as mais levianas e injustas acusações. Chamaram Jó de ladrão. Acusaram-no de oprimir os pobres e roubar o direito das viúvas. Chamaram-no de louco. Disseram que ele havia se enriquecido ilicitamente. Atentaram contra sua honra e disseram que ele era um adúltero. Jogaram vinagre em sua ferida e culparam-no por Deus ter matado seus filhos.

Ser vítima de acusações mentirosas já é um fardo muito pesado, mas ser acusado por amigos é ainda mais doloroso. Ser acusado por aqueles que deveriam estar do nosso lado agrava ainda mais a nossa dor. Ser acusado injustamente quando estamos no vale da prova é uma dor indescritível. Jó está sendo comprimido por todos os lados. Está no moinho de Deus, na fornalha da prova.

A defesa de Jó

Jó não fica calado. Ele não se assenta num canto, encolhido, picado pelo veneno da autopiedade. Jó desnuda a sua alma, abre as cavernas do seu coração e grita aos céus, espremendo não apenas o pus de suas feridas, mas também os abcessos de sua alma. Ele não se cala como um estoico reprimido. Ele não aceita passivamente a decretação da derrota. Jó não joga a tolha nem entrega os pontos. Ele reage e levanta aos céus dezesseis vezes a mesma pergunta: Por quê? Por quê? Por quê? Por que eu perdi os meus filhos? Por que a minha dor não cessa? Por que eu não morri no ventre de minha mãe? Por que eu não morri ao nascer? Por que os seios da minha mãe não estavam murchos de leite para eu morrer de fome? Por que o Senhor não me mata de uma vez?

Diante desse bombardeio de Jó, os céus ficaram em silêncio. Deus não deu sequer uma resposta aos seus questionamentos. Nenhuma palavra em resposta ao seu interrogatório. Mesmo diante da avassaladora tempestade que se abateu impiedosamente sobre ele, não houve sequer uma explicação. Deus ficou em total silêncio. Os céus tornaram-se de bronze. A única voz que Jó ouvia era o barulho da dor gritando em seus ouvidos, pulsando em sua alma, latejando em seu corpo. O silêncio de Deus grita mais alto em nossos ouvidos do que o barulho mais ruidoso das circunstâncias mais adversas. Mais difícil do que sofrer é sofrer sem compreender por que sofremos. Mais difícil do que lidar com a dor é passar pelo vale do sofrimento sem saber por que estamos sendo provados. Oh, que providência carrancuda é o silêncio de Deus! Oh, dor das dores é quando os céus silenciam diante dos nossos queixumes! Oh, mistério insondável é quando nossas perguntas ficam sem resposta e quando nossa dor fica sem alívio!

Nem sempre Deus explica as razões pelas quais sofremos. Nem sempre temos uma clara percepção dos propósitos divinos. Nem sempre a voz de Deus vem ao nosso encontro para nos consolar. Nem sempre temos uma luz no fim do túnel para nos dar uma direção. Há dias em que Deus se cala. Há momentos em que os céus parecem estar fechados e as nuvens parecem ser de bronze. Além de sua dor atroz, Jó precisou lidar ainda com o silêncio de Deus. Talvez, leitor, esse também seja o seu drama no momento. Você está passando pelo vale da sombra da morte. Você tem enfrentado dramas pessoais e familiares. Você tem sofrido grandes perdas financeiras. Você tem chorado a dor do luto e visto seu casamento e suas amizades entrando em colapso. Nesse torvelinho de dor, nessa tempestade de provas, você alça aos céus a sua voz, mas nenhuma resposta chega, nenhuma explicação atenua sua angústia.

Jó não apenas fez perguntas, mas também fez queixas. Ele levantou aos céus 34 vezes as suas queixas. Pensou que Deus estava cravando nele suas setas. Pensou que a mão de Deus estava esmagando sua vida. É claro que Jó não conhecia todas as implicações de sua saga. Não sabia todos os detalhes daquela acesa batalha espiritual.

O apóstolo Paulo disse que a nossa luta *não é contra carne e sangue, mas contra principados e potestades, contra os dominadores deste mundo tenebroso e forças espirituais do mal* (Ef 6.10-13). Esses inimigos são perigosos, violentos e malignos. Eles não descansam nem tiram férias. Estão sempre buscando uma oportunidade para nos atacar e nos ferir. Aqueles, porém, que foram arrancados da potestade de Satanás, resgatados da casa do valente e trasladados do império das trevas para o reino da luz estão assentados com Cristo nas regiões celestes, escondidos nele, protegidos por ele, cobertos com toda a armadura de Deus, seguros nas mãos de Cristo. Isso não significa, porém, ausência de luta. Enquanto estivermos neste mundo, viveremos num campo minado, num território encharcado de profundas tensões espirituais. Por isso, Jó, mesmo sendo um homem piedoso e o mais devoto de sua geração, não ficou imune a essa batalha.

Vale destacar, porém, que Satanás e suas hostes não podem agir à revelia de Deus. Não podem atuar sem a permissão divina. O diabo é um ser limitado quanto ao tempo, ao poder e à área de atuação. Ele só pode ir até onde Deus lhe permite ir. Só pode fazer o que Deus permite que ele faça. Até Satanás está a serviço de Deus! O propósito de Satanás era macular o caráter santo de Deus e destruir a reputação de Jó. O que, porém, ele conseguiu? Apenas colocar Jó mais perto de Deus e fazer dele um homem mais quebrantado e fiel. Na verdade, nenhum dos planos de Deus pode ser frustrado.

Capítulo 3

Um homem RESTAURADO POR DEUS

O tempo da prova havia chegado ao fim. Do pico das montanhas surgia um facho de luz. No deserto tórrido brotavam os lírios da esperança. Os céus de bronze abriam seus portais. O silêncio de Deus foi rompido, e a voz do Todo-poderoso se fez ouvir.

Quando Deus rompe o silêncio

Quando Deus rompeu o silêncio, não respondeu sequer a uma das perguntas de Jó. Ao contrário, fez-lhe setenta perguntas. Todas retóricas, ou seja, todas perguntas cuja resposta já vinha nelas embutida. Nessas perguntas, Deus fez uma exposição exaustiva de sua majestade e soberania. Deus perguntou a Jó: "Onde estavas tu quando eu lançava os fundamentos da terra? Onde estavas tu quando eu espalhava as estrelas no firmamento? Onde estavas tu quando eu cercava as águas do mar?" Diante da incomparável majestade de Deus,

Jó foi se encolhendo e compreendeu que suas perguntas não podiam perturbar o Todo-poderoso nem colocá-lo contra a parede.

Deus é livre e soberano. Ele faz todas as coisas conforme o conselho de sua vontade. Ninguém pode pressionar Deus nem colocá-lo contra a parede. Deus não age dentro do nosso tempo nem conforme a nossa vontade. Seus caminhos são mais altos do que os nossos. Seus pensamentos são mais elevados do que os nossos. Ninguém foi seu conselheiro nem jamais alguém ensinou a ele a sabedoria. O profeta Isaías ressalta essa verdade, quando diz: *Quem guiou o Espírito do SENHOR, ou lhe ensinou como conselheiro? A quem ele pediu conselho, para lhe dar entendimento e lhe mostrar o caminho da justiça? Quem lhe ensinou conhecimento e lhe mostrou o caminho do entendimento?* (Is 40.13,14). Deus é o detentor de todo o saber. Ele conhece tudo, tem o controle de tudo e levará o Universo e a nossa vida a uma consumação gloriosa.

Nada escapa ao controle divino. Ele está assentado na sala de comando do Universo, e nada foge de seu controle. Nem um fio de cabelo da nossa cabeça pode ser tocado sem que ele o permita. Ninguém pode nos atingir sem que ele tenha um propósito. Satanás não é livre para nos atacar sem que Deus lhe dê permissão e sem que Deus tenha um propósito sublime na prova. Nossas provações não vêm para nos destruir, mas para fortalecer as musculaturas da nossa alma. Mesmo quando a providência que nos cerca é carrancuda, Deus nos mostra sua face benevolente. Nosso Deus inspira canções de louvor nas noites escuras. Ele abre rios no ermo, faz brotar água da rocha e uma fonte de consolo de nossas feridas. É Deus quem nos consola em todas as nossas angústias para consolarmos outros que estiverem passando pelas mesmas aflições. Nosso sofrimento é sempre pedagógico. Tem sempre um fim proveitoso.

Quando passamos pelo vale da dor, precisamos olhar para a majestade de Deus, e não para a profundidade das nossas feridas. Se olharmos para nós, entraremos em pânico; se olharmos para Deus, sentiremos paz no vale. Se observarmos os ventos contrários e o rugido da tempestade, naufragaremos; mas, se fixarmos os olhos em Cristo, caminharemos sobre as ondas revoltas.

O começo da restauração de Jó não passou pelo entendimento de sua dor, mas pela compreensão da soberania de Deus. Foi quando seus olhos se abriram para ver a grandeza de Deus que as coisas passaram a se tornar claras para ele. Não podemos conhecer a nós mesmos sem antes conhecer Deus. Quanto mais focarmos nós mesmos, mais aflitos ficaremos e mais longe da verdade. Quanto mais perto de Deus ficarmos, mais entenderemos a nós mesmos e as circunstâncias que nos cercam.

O tamanho de nosso Deus nos ajuda a compreender as realidades da vida. Quem é o nosso Deus? Qual é a dimensão do seu poder? O profeta Isaías diz que Deus é aquele que mede as águas na concha de sua mão e mede o pó da terra em balança de precisão. Deus é aquele que mede os céus a palmos e os estende como uma cortina para neles habitar. Deus espalha as estrelas no firmamento e, por ser forte em força e grande em poder, quando as chama, nem uma delas vem a faltar (Is 40.12-26).

Qual é o tamanho desse Universo que Deus mediu a palmos? Os astrônomos afirmam que o Universo tem mais de 92 bilhões de anos-luz de diâmetro. Isso significa que se voássemos à velocidade da luz, ou seja, a 300 mil quilômetros por segundo, demoraríamos mais de 92 bilhões de anos para ir de uma extremidade à outra. Se perguntássemos a um astrônomo quantas estrelas existem, ele nos diria que há mais estrelas no firmamento do que todos os grãos de areia de todos os desertos e praias do nosso planeta. Deus não apenas criou todas elas, mas conhece cada uma e as chama pelo nome.

Não é apenas o macrocosmo que manifesta a majestade de Deus, mas também o microcosmo. Uma tenra folha colhida no campo é tão completa como uma grande metrópole. Uma gema de ovo é mais complexa do que qualquer máquina que o homem jamais inventou. John Wilson, renomado oftalmologista, disse que cada um dos nossos olhos tem cerca de 2 milhões de fios duplos encapados. Se não fora assim, haveria um curto-circuito, e ficaríamos cegos. Marshall Nirenberg, prêmio Nobel de biologia, fez uma das mais extraordinárias descobertas no século passado. Descobriu que somos um ser geneticamente computadorizado. Temos cerca de 60 trilhões de células vivas em nosso corpo. Em cada célula há 1,7 metro de cadeia de DNA, onde estão gravados e computados todos os nossos dados genéticos (a cor dos nossos olhos, a cor da nossa pele, o nosso temperamento). Se pudéssemos espichar as cadeias de DNA do nosso corpo, teríamos 102 trilhões de metros de extensão, ou 102 bilhões de quilômetros. Oh, essa obra fantástica certamente não é resultado de geração espontânea, pois o acaso não produz ordem tão colossal. Essa obra não é consequência de uma megaexplosão cósmica, pois o caos não pode produzir o cosmos. Essa obra não é fruto de uma evolução de milhões e milhões de anos. Códigos de vida não surgem dessa forma. Códigos de vida foram plantados em nós pelo Deus Todo-poderoso, criador dos céus e da terra. Esse é o nosso Deus!

Certa feita um garotinho perguntou ao pai: "Papai, qual é o tamanho de Deus?" O pai, confuso com a intrigante pergunta do filho, olhou para o céu e viu um avião a jato cruzando as alturas. O pai, então, perguntou ao filho: "Filho, olhe para o céu e veja aquele avião. Ele é pequeno ou grande?" O filho olhou e respondeu: "Pequeno, papai, muito pequeno". O pai, imediatamente, levou o filho ao aeroporto e mostrou-lhe um grande jumbo estacionado no pátio e perguntou-lhe: "Filho, qual é o tamanho deste avião?" E o menino respondeu: "Grande, papai, muito grande". O pai, então, explicou ao filho: "Meu filho, é assim também com Deus. Quando você está longe de Deus, ele parece pequeno para você, mas, quando você está perto de Deus, ele se torna muito grande".

Quando olhamos para nossos problemas, agigantamos nossa dor e apequenamos Deus; mas, quando olhamos para a majestade de Deus, nos sentimos pequenos, e nossa dor se torna apenas uma leve e momentânea tribulação. Enquanto Jó estava se defendendo e curtindo sua dor, sentiu-se injustiçado. Mas, quando viu a majestade de Deus, encontrou o caminho do entendimento e a estrada da restauração.

Quando os olhos da alma são abertos (Jó 42.1-6)

Quando Jó compreendeu a majestade Deus, fez cinco descobertas magníficas que mudaram o rumo de sua história.

Em primeiro lugar, Jó compreendeu a onipotência divina. *Então Jó respondeu ao SENHOR: Bem sei que tudo podes...* (Jó 42.1,2a). Quando passamos por lutas e provas, quando cruzamos os desertos tórridos, quando descemos aos vales escuros, quando nossa vida é fuzilada por rajadas geladas de ventos desaçaimados, precisamos entender que Deus é onipotente. Nossas crises não deixam nosso Deus em crise. O trono de Deus não é abalado quando a terra se transtorna. Deus não perde as rédeas da História quando os horizontes parecem pardacentos. Mesmo que Satanás se lance contra nós com toda a sua fúria, mesmo que os homens, na sua loucura, blasfemem e levantem seu calcanhar contra o Onipotente, jamais seu poder será arranhado.

Jó estava no fundo do poço. Doente, falido, enlutado, abandonado, acusado. Seu quadro era terminal. Seu passado era glorioso. Seu presente era uma tragédia. Sem futuro, desprovido de qualquer esperança. Mesmo antes de receber a cura, Jó recebeu o entendimento. Mesmo antes de seus sonhos serem reconstruídos, sua fé foi renovada. A cura não brotou de uma viagem feita rumo à sua alma, mas de uma elevação realizada até o trono de Deus. Jó só entendeu a si mesmo depois que entendeu Deus. É o conhecimento de Deus que ilumina os corredores escuros do nosso coração. Quando o homem sabe que Deus é Deus, então compreende que o homem é homem.

Nossas impossibilidades não ameaçam a onipotência divina. Para Deus tudo é possível. Ele pode tudo quanto quer. Ele pode libertar o cativo. Pode curar o enfermo. Pode fortalecer o fraco. Pode salvar o perdido. Pode restaurar a sorte daquele que foi atingido por tragédias.

Na hora da crise, precisamos entender que o nosso Deus está no trono e faz todas as coisas conforme o conselho de sua vontade. Ele não depende de ninguém nem precisa da ajuda de ninguém. O mesmo Deus que criou o Universo e sustenta todas as coisas pela palavra de seu poder é o que governa os destinos da nossa vida. Nossa vida não está solta, ao léu, jogada de um lado para o outro, ao sabor das circunstâncias. Fomos salvos por ele, estamos nele e viveremos sempre guardados por ele, mesmo que o inferno inteiro se levante contra nós. Ainda que as nações, na sua fúria, tentem sacudir o seu jugo, ele considera todas elas como um pingo que cai de um balde, como um pó numa balança de precisão, como um vácuo, como nada, como menos do que nada.

Depois que Deus revelou a Jó sua majestade, este compreendeu a grandeza de Deus e disse: "Bem sei que tudo podes e nenhum dos planos pode ser frustrado".

Ainda que os reis da terra e os poderosos deste mundo, vestidos de soberba, desandem a boca para falar contra o altíssimo, ele considera esses príncipes como um toco que é arrancado e levado pelo vento. Os reis da terra passarão. Reinos se levantam e reinos caem, mas só o Senhor, o Deus Todo-poderoso, permanece para sempre, pois só ele tem o controle de tudo e a tudo domina. Ele tudo pode!

Em segundo lugar, Jó compreendeu a soberania divina. *... e nenhum dos teus planos pode ser impedido* (Jó 42.2b). Como já dissemos, o Universo não surgiu espontaneamente nem é produto de uma evolução de milhões e milhões de anos. O Universo foi criado por Deus e é dirigido por ele. Deus está assentado no trono e faz tudo conforme lhe apraz. Não existe acaso. A história não caminha à revelia do governo divino. Deus tem um plano eterno, perfeito, eficaz. Tudo o que acontece está sob o olhar e o controle divinos. Não existe sorte nem azar. Não existe determinismo cego nem descontrole. Nem um pardal cai ao chão sem o conhecimento e a permissão de Deus. Nem uma folha no outono cai sem que Deus o permita. Deus tem total controle do

Universo e também da nossa vida. O plano de Deus é perfeito. Ele trabalha para aqueles que nele esperam. Deus trabalha por nós, e não contra nós. Aos seus amados, ele dá o pão enquanto dormem. Ele cavalga nas alturas para a nossa ajuda.

O plano de Deus é completo. Inclui as grandes coisas e também as pequenas. Inclui as coisas reveladas e também as ocultas. Inclui aquelas que claramente percebemos e aquelas que não discernimos. Deus nunca falha. Seus planos não podem ser frustrados. Sua vontade não pode ser derrotada. O propósito de Deus sempre prevalece. Ele é soberano e faz todas as coisas conforme o conselho de sua vontade. Diz o salmista: *... o nosso Deus está nos céus; ele faz tudo de acordo com sua vontade* (Sl 115.3).

Mesmo que Satanás, em sua fúria, atente contra nós, não pode nos atingir se Deus não lhe der permissão. E, sempre que em sua providência Deus permitir que Satanás se insurja contra nós, colocará limites em sua ação e trabalhará os propósitos, para que tudo concorra para o nosso bem. O propósito de Satanás era desonrar Deus e destruir a vida e a família de Jó, mas o propósito de Deus era honrar Jó e restaurar sua família.

Em terceiro lugar, Jó compreendeu seu limitado conhecimento. *De fato falei do que não entendia, coisas que me eram maravilhosas demais e eu não compreendia* (Jó 42.3b). Se existe uma coisa que Jó não fez durante sua saga de dor foi ficar calado. Ele abriu o bico. Ele falou muito. Espremeu o pus da ferida e lancetou os abcessos da alma. Gritou com todas as forças da sua alma. Fez perguntas e expôs suas queixas. Diante do ataque dos seus consoladores molestos, fez vigorosas defesas. Chegou a endereçar sua voz a Deus, atribuindo a ele sua dor mais atroz. Viu-se no moinho de Deus. Considerou-se cravejado de setas pelas mãos do Todo-poderoso. Sentiu-se como um tição estorricado na fornalha do altíssimo. Arrazoou com Deus e com os homens. Enquanto sua alma latejava de dor e seu corpo caquético e magérrimo envergava sob o peso do sofrimento, ergueu a voz e disse: "Está doendo, e eu preciso de explicações".

Agora, diante da revelação da majestade de Deus, os olhos de sua alma são abertos, e Jó compreende quão limitado ele era diante da grandeza insondável de Deus. Reconheceu que suas palavras foram precipitadas e infundadas. Discerniu que, diante da sabedoria excelsa de Deus, suas palavras foram insensatas, pois falou do que não entendia. Somos assim, limitados. Não enxergamos todo o cenário. Não vemos toda a realidade. Somos míopes. Deus, porém, conhece o passado, o presente e o futuro no seu eterno agora. Ele tem o amanhã na palma de sua mão. Ele vê por fora e por dentro. Vê o que não enxergamos. Por isso, nos conduz pelo caminho estreito das providências carrancudas não para nos destruir, mas para nos fortalecer; não para nos derrotar, mas para nos aprovar; não para nos desqualificar, mas para nos galardoar.

Ah, se pudéssemos ver todos os desígnios de Deus e seus sábios propósitos a nosso respeito. Seus pensamentos sobre nós são pensamento de vida e paz. Isso não significa ausência de sofrimento. O próprio Jesus aprendeu pelas coisas que sofreu. O sofrimento não é castigo na vida dos filhos de Deus, mas pedagogia. O sofrimento é o polidor do nosso caráter, o cinzel do Artífice divino, transformando--nos na imagem de Jesus.

Em quarto lugar, Jó compreende seu limitado conhecimento de Deus. *Com os ouvidos eu tinha ouvido falar a teu respeito; mas agora os meus olhos te veem* (Jó 42.5). Jó era o homem mais piedoso de sua geração. Era íntegro e reto, temente a Deus e se desviava do mal. O próprio Deus é quem o enaltece e o distingue dentre seus pares. Contudo, mesmo com esses atributos, confessa que seu conhecimento de Deus era assaz limitado. Na verdade, o conhecimento de Deus é a própria essência da vida eterna. Foi isso que Jesus afirmou: *E a vida eterna é esta: que conheçam a ti, o único Deus verdadeiro, e a Jesus Cristo, que enviaste* (Jo 17.3). Quem é Deus? Ele é autoexistente, imenso, infinito, eterno, imutável, onipotente, onisciente, onipresente, transcendente. Passaremos com ele toda a eternidade e jamais esgotaremos o conhecimento de Deus. Mesmo recebendo um corpo de glória e despojados completamente do pecado, jamais conseguiremos conhecer totalmente Deus. Depois que estivermos na glória, passado um milhão de anos, ainda estaremos conhecendo Deus. Passado um bilhão anos, ainda estaremos conhecendo Deus. Na verdade, Deus é inesgotável. O céu certamente não será uma bem-aventurança estática, mas uma deliciosa e dinâmica realidade de comunhão com Deus, pois nele nos alegraremos e deleitaremos pelo desdobrar da eternidade.

Em quinto lugar, Jó compreende a enormidade de seu pecado. *Por isso, me desprezo e me arrependo no pó e na cinza* (Jó 42.6). Ficamos estupefatos diante dessa confissão de Jó e da declaração que o próprio Deus faz a seu respeito, dizendo que não havia ninguém na terra semelhante a ele, homem íntegro e reto, temente a Deus e que se desviava do mal. Parece que essas duas realidades são irreconciliáveis e não podem caminhar juntas. Como entender esse dilema? Mesmo sendo provado, e provado duramente, Jó não pecou contra Deus (Jó 1.22; 2.10). Mas como então ele se abomina e se arrepende no pó e na cinza? Seria a sua confissão tão sincera um engano de seu coração? Estaria sentindo uma culpa irreal? A resposta mais clara é que, quanto mais perto de Deus estamos, mais conhecemos a pecaminosidade de nosso coração. As pessoas que mais choraram pelos seus pecados não foram aquelas que mais acintosamente pecaram contra Deus, mas aquelas que mais perto de Deus andaram. Quando o homem está longe da luz, não consegue ver as manchas e nódoas de seu pecado. Mas, quando se está perto da luz, até mesmo a sujeira mais discreta é percebida.

O profeta Isaías distribuiu uma série de ais ao povo de Judá. Disse: *Ai dos que ajuntam casas e mais casas, dos que acrescentam um campo a outro, até que não haja mais lugar, de modo que habitem sós no meio da terra* (Is 5.8). *Ai dos que se levantam cedo para se embebedar e continuam até a noite bebendo vinho para se aquecer* (Is 5.11). *Ai dos que puxam o mal com cordas de falsidade, e o pecado, com cordas de carros* (Is 5.18). *Ai dos que ao mal chamam bem, e ao bem, mal; que transformam trevas em luz, e luz em trevas, e o amargo em doce, e o doce em amargo* (Is 5.20). *Ai dos que são sábios aos seus próprios olhos e inteligentes em seu próprio conceito* (Is 5.21). *Ai dos que são fortes para beber vinho e valentes para misturar bebida forte; dos que absolvem o culpado por suborno e negam o direito ao justo* (Is 5.22,23). No entanto, quando Isaías teve uma visão da majestade e da santidade de Deus, voltou-se para si mesmo e disse: *Ai de mim! Estou perdido; porque sou homem de lábios impuros e habito no meio de um povo de lábios impuros; e os meus olhos viram o rei, o* SENHOR *dos Exércitos!* (Is 6.5).

A restauração de Jó

A restauração de Jó começou quando ele ainda estava enfermo. Não foi apenas uma mudança de circunstância, mas de atitude. Os olhos de sua alma foram abertos para compreender a majestade de Deus e a sua fraqueza antes mesmo de ser curado.

Durante toda a sua dolorosa experiência, Jó esteve falando e se defendendo. Seus argumentos eram abundantes. Suas palavras eram carregadas de vívida emoção. Certamente, havia em Jó uma decepção com seus amigos. Eles haviam se tornado vinagre em suas feridas, consoladores molestos. Acusaram Jó impiedosamente. Agravaram sua dor e abriram novas feridas em sua alma.

Ser criticado quando você está bem, com saúde, com dinheiro e cercado pelo apoio da família é uma coisa; mas ser acusado injustamente quando você está quebrado, enlutado, enfermo e rejeitado é outra coisa. Os amigos de Jó olharam para sua dor de forma especulativa. Criaram teses e antíteses. Formularam teorias e fizeram declarações ousadas, culpando Jó por todo o desastre que se abatera sobre a sua vida. Atacaram a integridade moral de Jó. Lançaram sobre ele os mais pesados libelos acusatórios. Alvejaram-no com armas de grosso calibre. Passaram um rolo compressor em cima dele. Reduziram-no a pó.

Enquanto as ondas e vagas passam pela sua cabeça, Jó tenta respirar. Mesmo se sentindo acuado e encurralado pelo próprio Deus, mesmo se sentindo desemparado pela própria família, mesmo sabendo que seu corpo cheirava mal e que até as crianças o desprezavam, mesmo sabendo que até os seus amigos íntimos o abominavam, Jó num lampejo de fé inabalável diz: *Eu sei que o meu redentor vive e que por fim se levantará sobre a terra. Depois, destruído o meu corpo, então fora da carne verei Deus. Eu o verei ao meu lado, e os meus olhos o contemplarão, não mais como adversário. O meu coração desfalece dentro de mim* (Jó 19.25-27).

A cura de Jó acontece quando o patriarca deixa de se queixar, deixa de se defender e começa a orar pelos seus amigos. Durante todo o livro, ele se colocou na defensiva e ergueu sua voz para se defender. Mas Deus agora ordena a Jó que saia do campo de defesa para entrar na brecha da intercessão. Quando nos defendemos, o nosso foco está concentrado em nós mesmos. Quando oramos, nosso foco está na pessoa que é alvo da nossa oração. É impossível orar por alguém e continuar magoado com essa pessoa. É impossível odiar alguém e interceder por essa pessoa ao mesmo tempo. Jesus Cristo foi enfático, quando ensinou: *Quando estiverdes orando, se tendes alguma coisa contra alguém, perdoai, para que também o vosso Pai que está no céu vos perdoe as vossas ofensas* (Mc 11.25).

O livro de Jó mostra que Deus se irou contra os amigos de Jó porque não falaram de Deus o que era reto, como Jó falara. Eles eram especuladores da fé. Eram teóricos. Não estavam na arena, mas apenas nas arquibancadas. Falavam de sua cabeça, e não do coração. Falavam do que tinham ouvido, e não de sua experiência. Conheciam a respeito de Deus, mas não tinham intimidade com Deus.

Deus ordenou que os amigos de Jó fossem até ele para que este orasse por eles. O Senhor aceitou a oração de Jó, e Deus perdoou os seus amigos. Vejamos o relato da Escritura:

> *Ao terminar de dizer essas coisas a Jó, o* S*ENHOR* *disse a Elifaz, o temanita: Estou irado contigo e com os teus dois amigos, pois não falastes a verdade a meu respeito, como fez o meu servo Jó. Levai sete novilhos e sete carneiros ao meu*

> *servo Jó e oferecei um sacrifício por vós. O meu servo Jó intercederá por vós, pois certamente o aceitarei, para que eu não retribua a vossa ignorância; pois não falastes a verdade a meu respeito, como fez o meu servo Jó. Então Elifaz, o temanita, Bildade, o suíta, e Zofar, o naamatita, fizeram o que o* SENHOR *lhes havia ordenado; e o* SENHOR *aceitou a intercessão de Jó* (Jó 42.7-9).

Enquanto Jó orava pelos seus amigos, Deus mudou a sorte dele: *E depois que Jó intercedeu pelos seus amigos, o* SENHOR *o livrou e lhe deu o dobro do que possuía antes* (Jó 42.10).

Quando Satanás investiu contra Jó, atacou cinco áreas vitais da sua vida:

Primeiro, a área financeira. Satanás levou Jó à falência. Arrancou tudo o que ele tinha num único dia. Pessoas e circunstâncias fizeram da riqueza colossal de Jó apenas uma neblina que se dissipou.

Segundo, a área dos filhos. Satanás provocou um acidente grave, envolvendo todos os filhos de Jó no mesmo dia da sua falência financeira, provocando a morte de todos eles no mesmo instante. Jó precisou sepultar todos os seus dez filhos no mesmo dia.

Terceiro, a área da saúde. Jó, depois de perder seus bens e filhos, perdeu também sua saúde. Foi acometido por tumores malignos que brotaram no seu corpo desde a planta do pé ao alto da cabeça.

Seu corpo ficou chagado. Sua pele, necrosada. Jó ficou todo encarquilhado. Seu vigor tornou-se sequidão de estio.

Quarto, a área do casamento. Jó, depois de perder os bens, os filhos e a saúde, perdeu, ainda, o apoio de sua mulher. Esta, revoltada contra Deus, sugere ao marido a rebelar-se contra Deus e cometer suicídio.

Quinto, a área das amizades. Jó, tendo perdido todas as conexões dentro de sua casa, agora é atacado violentamente pelos próprios amigos, que se tornam um peso para ele, e não um bálsamo. Recebe do fogo amigo as mais duras críticas, as mais injustas acusações, as setas mais venenosas.

A restauração divina vai contemplar essas cinco áreas atingidas. Vejamos:

Primeiro, Deus restaura a saúde de Jó. *O Senhor o livrou...* (Jó 42.10). Aquele homem chagado recebe vigor. Sua cura brotou sem detença. Mesmo sendo como um toco decepado ao chão, ao cheiro das águas reviveu. Jó recebeu saúde e vigor. Tornou-se um homem saudável, sem qualquer sequela. Viveu gostosamente o restante de dias de sua vida, sem nenhum trauma do passado. Depois dessa cura, viveu mais de um século. *Depois disto, viveu Jó cento e quarenta anos.* [...] *Então Jó morreu, velho e de idade avançada* (Jó 42.16,17). Você é imortal até que Deus cumpra em você os seus propósitos. Satanás teve autorização para provar Jó, mas não para matá-lo. A sua vida está nas mãos de

Deus. Ele é o doador da vida e o único que tem autoridade para tomá-la.

Segundo, Deus restaura os bens de Jó. Está escrito: ... [o *SENHOR*] *lhe deu o dobro do que possuía antes* (Jó 42.10). O que Jó possuíra? Está registrado: *Possuía sete mil ovelhas, três mil camelos, quinhentas juntas de bois e quinhentas jumentas. Tinha também muitos servos que trabalhavam para ele, de modo que era o homem mais rico de todos do oriente* (Jó 1.3). O que passou a possuir? A Bíblia responde: *Assim, o SENHOR abençoou o último estado de Jó mais do que o primeiro; pois Jó chegou a ter catorze mil ovelhas, seis mil camelos, mil juntas de bois e mil jumentas* (Jó 42.12). Se Jó era o homem mais rico de sua época, passou a ser duplamente rico. Vale destacar que a riqueza de Jó é uma expressão clara da bondade de Deus. É fruto da bênção do altíssimo. É Deus quem adestra as nossas mãos para adquirirmos riquezas. Riquezas e glórias vêm de Deus. A Bíblia diz que a alma generosa prosperará.

A família de Jó que, nas profundezas de sua angústia, o desprezara, agora vem a ele, consola-o e o cumula de presentes: *Então todos os seus irmãos, todas as suas irmãs e todos os que antes o conheciam foram visitá-lo e comeram com ele uma refeição em sua casa. Eles se compadeceram dele e o consolaram de toda a desgraça que o SENHOR lhe tinha enviado. Cada um deles lhe deu uma quantia em dinheiro e um pendente de ouro*(Jó 42.11).

Terceiro, Deus restaura o casamento de Jó. Muitos casamentos não suportam o teste da pobreza; outros não se mantêm no *glamour* da riqueza. Quando Jó estava no fundo do poço, sua mulher ordenou-lhe a abrir mão de seus absolutos, amaldiçoar a Deus e morrer. Ela disse a Jó: ... *Tu ainda te manténs íntegro? Amaldiçoa a Deus e morre* (Jó 2.9). A mulher de Jó não suportou a sucessão de tantas perdas. Decepcionada com Deus, está disposta a virar a mesa e abandonar todos os valores e princípios que haviam regido até então sua vida. Sua fidelidade a Deus era condicional. Mantinha sua devoção apenas nos dias áureos. Sua fé era circunstancial, e sua ética, situacional. Mesmo mergulhado num caudal de sofrimento e dor, Jó responde à sua mulher com firmeza granítica: *Tu falas como uma louca. Por acaso receberemos de Deus apenas o bem e não também a desgraça?* (Jó 2.10).

Imagine Jó agora curado, cheio de vida, rico, cercado de parentes e amigos. Imagine o comentário percorrendo todo o Oriente, acerca da mudança radical ocorrida em sua vida. Imagine esse homem, outrora surrado pela adversidade, agora novamente no topo do sucesso. Imagine esse homem voltando a fita do tempo e lembrando-se de sua mulher querendo empurrá-lo para o abismo, sugerindo a ele pisotear seus valores, abandonar sua fé e lançar-se nos braços da morte. Se fosse hoje, talvez esse homem dissesse: "Mulher, quando eu estava na pior, você queria que eu morresse. Agora, estou com vigor e dinheiro no bolso. Como você não me queria na pobreza, também não quero mais você na abundância".

Claro, não foi isso o que aconteceu. O mesmo Deus que curou o corpo de Jó, curou também sua alma. O mesmo Deus que sarou as feridas de seu corpo, também lancetou os abcessos de seu coração. Jó certamente perdoou sua esposa. Aquele relacionamento estremecido foi restaurado. Aquele sentimento seco como uma palha jogada ao vento é remoçado. Deus traz um novo alento ao coração deles, e o casamento se ergue das cinzas. Novos sonhos, novos alvos, novos filhos.

Quarto, Deus restaura os filhos de Jó. Jó era um pai excepcional. Mesmo sendo um homem rico, encontrava tempo para orar pelos filhos e aconselhá-los. Agora, depois de restaurado por Deus, teve mais dez filhos. Se na primeira fase da vida tivera sete filhos e três filhas (Jó 1.2), na segunda fase a mesma realidade se repete: *Também teve sete filhos e três filhas* (Jó 42.13). Três fatos são destacados agora. Os nomes das três filhas são mencionados: Jemima, Quezia e Quéren-Hapuque. Elas são descritas como as mulheres mais formosas do mundo. E seu pai, na contramão da cultura vigente, lhes deu herança entre seus irmãos (Jó 42.14,15). Não apenas Jó teve o privilégio de ter novos filhos, mas teve a ventura de ver os filhos de seus filhos, até a quarta geração (Jó 42.16).

Quinto, Deus restaura os amigos de Jó. A ira de Deus se acendeu contra os amigos de Jó, mas Deus ordenou-lhes que fossem até Jó para que este orasse por eles. Jó intercedeu por eles, e Deus aceitou sua oração, restaurando a vida de seus amigos (Jó 42.7-9). A restauração dos relacionamentos não veio como resultado dos argumentos e contra-argumentos, mas por meio da intercessão. Enquanto ambas as partes se entregaram ao arrazoamento, as feridas só foram abertas e os muros só se tornaram mais altos. No momento, porém, em que Deus interveio, e Jó se colocou na brecha da intercessão, a amizade foi restaurada, e o relacionamento de seus amigos com Deus foi restabelecida.

Tudo quanto Satanás intentou contra Jó, Deus reverteu. Satanás queria macular o caráter de Deus e afastar Jó de Deus. O que ele conseguiu foi apenas colocar Jó mais perto de Deus e deixar mais patente a majestade divina.

Restauração sim, explicação nem sempre

Deus promete restauração; nem sempre explicação. O livro de Jó termina, e Jó não fica sabendo por que passou pelo vale da prova. Todas as pessoas envolvidas nessa saga estavam equivocadas.

Primeiro, Satanás estava errado porque insinuou que ninguém podia amar mais a Deus do que ao dinheiro, à família e a si mesmo. Jó provou que Satanás estava errado. As teses do Adversário foram refutadas. Jó desbaratou as falsas acusações de Satanás. Jó provou que há verdadeiros adoradores que servem a Deus não apenas porque são abençoados, mas apesar de serem provados.

Segundo, a mulher de Jó estava errada porque orientou seu marido a abrir mão de seus princípios, amaldiçoar a Deus e morrer. A mulher de Jó concluiu que Deus não merece nossa devoção quando as coisas vão mal em nossa vida. Ela demonstrou deficiência em sua fé. Havia brechas em seu escudo. Fez coro com Satanás e demonstrou que servia a Deus por interesse. Dava mais valor às dádivas de Deus do que ao caráter de Deus. Servia a Deus pelo que recebia dele. O centro de tudo era a sua vida, e não Deus.

Terceiro, os amigos de Jó estavam errados porque, entregues à especulação, concluíram equivocadamente que Jó estava sofrendo por algum pecado que supostamente teria cometido. Não apenas especularam, mas efetivamente acusaram Jó de pecados graves que ele jamais cometera. Inverteram as coisas. Assacaram contra um homem ferido e doente as mais duras acusações. Esmagaram a cana quebrada e tentaram apagar a torcida que fumegava. Foram impiedosos e injustos. Falaram o que não era certo em relação a Deus e a Jó.

Quarto, Jó estava errado porque imaginou que Deus o esmagava sem causa. Jó queixou-se contra Deus dezenas de vezes. Pensou que Deus estava contra ele. Chegou a dizer que Deus o cravejara com suas setas. Depois disse que Deus poderia pelo menos ter tirado sua vida antes desse sofrimento ou mesmo acabar com o seu sofrimento, tirando-lhe a vida. Apesar de Jó ter gritado aos céus, pedido explicações, nenhuma resposta lhe foi dada que pudesse elucidar seus dilemas.

Deus restaurou a sorte de Jó, mas não explicou--lhe por que estava ele estava sofrendo. O que acontecia no andar de cima não estava sendo plenamente compreendido no andar de baixo. É claro que nem sempre Deus nos explica os motivos do nosso sofrimento. Mas, quando não pudermos entender o que Deus está fazendo com a nossa vida, podemos entender Deus. Ele é soberano e está no controle do Universo. Até o nosso sofrimento mais atroz está debaixo do seu controle. Quando Albert Einstein veio à América, depois de seu sucesso com a teoria da relatividade, um repórter perguntou à esposa dele: "A senhora compreende a complexa teoria da relatividade pela qual seu marido é tão famoso no mundo?" Ela respondeu: "Não, eu não compreendo a complexa teoria da relatividade pela qual meu marido é tão famoso no mundo, mas compreendo o meu marido". Você pode não compreender o que Deus está fazendo, mas pode compreender Deus. Ele é Todo-poderoso e também é seu pai.

Às vezes, olhamos para a vida apenas pelo avesso. Não conseguimos entender como as coisas se encaixam. Há muitas linhas soltas e desconexas. Não há beleza no cenário que contemplamos. Certa feita, Gary Chapman, autor do livro *As cinco linguagens do amor*, quando criança, brincava aos pés de sua mãe, que fazia um belo bordado à mão. O menino olhou o bordado de baixo para cima, pelo avesso, e disse à sua mãe: "Mamãe, que coisa feia é essa que a senhora está fazendo? Há muitas linhas soltas. Não há nenhuma harmonia". A mãe entendeu o dilema do filho, tomou-o no colo e mostrou-lhe o bordado de cima para baixo, pelo lado direito, e o menino ficou encantado com a beleza do desenho, com a harmonia das cores, com a perícia da mãe e disse: "Mamãe, que coisa linda a senhora está fazendo!" Haverá um dia em que Deus vai nos colocar em seu colo e mostrar-nos nossa vida de cima para baixo. Então compreenderemos que ele sempre esteve trabalhando por nós, e não contra nós. Entenderemos que não há Deus como o nosso que trabalha para aqueles que nele esperam. Compreenderemos que todas as coisas cooperam para o nosso bem.

Mesmo quando as providências estão cinzentas e carrancudas, poderemos ter a plena convicção de que, por trás dessas nuvens escuras, o sol está brilhando. Por trás dessa carranca, há uma face sorridente. Por trás dessa saga de dor, há uma lição poderosa. Por trás dessas lágrimas, há uma alegria indizível e cheia de glória.

Conclusão

Concluímos, portanto, dizendo que, mesmo que Satanás se lance contra nós, Deus reverterá isso em bênção. Mesmo que ele queira nos destruir, sairemos dessa batalha mais crentes, mais fortes, mais perto de Deus. Satanás pode até lançar sobre nós seus dardos inflamados, porém Deus nos cobrirá com suas asas. Satanás pode até nos atacar com sua fúria indômita, mas os planos de Deus para nós, estabelecidos na eternidade, jamais poderão ser frustrados. A soberania de Deus não pode ser abalada pelo ataque de Satanás, nem nossa segurança em Deus pode ser estremecida por esse ataque. Nada nem ninguém, nem agora nem no porvir, pode nos separar do amor de Deus que está em Cristo Jesus. Estamos firmados e seguros nele, e isso nos basta!

Sua opinião é importante para nós.

Por gentileza, envie-nos seus comentários pelo e-mail

editorial@hagnos.com.br

Visite nosso site:

www.hagnos.com.br